「ギャあああああああ！
あ、熱《あつ》、熱いいいいいいい!!」
突然、炎に包まれた！

「カオルは、カオルはどこだ！」
「「「「…………」」」」
フェルナンの問いに、誰も答えない。

「カオルちゃんの
魂の反応が
消失しました！
カオルちゃんは、
カオルちゃんは
どこですかっ！」

「ここは、カオル様のお心を尊重して、何卒、御慈悲を……」
「……分かりました」

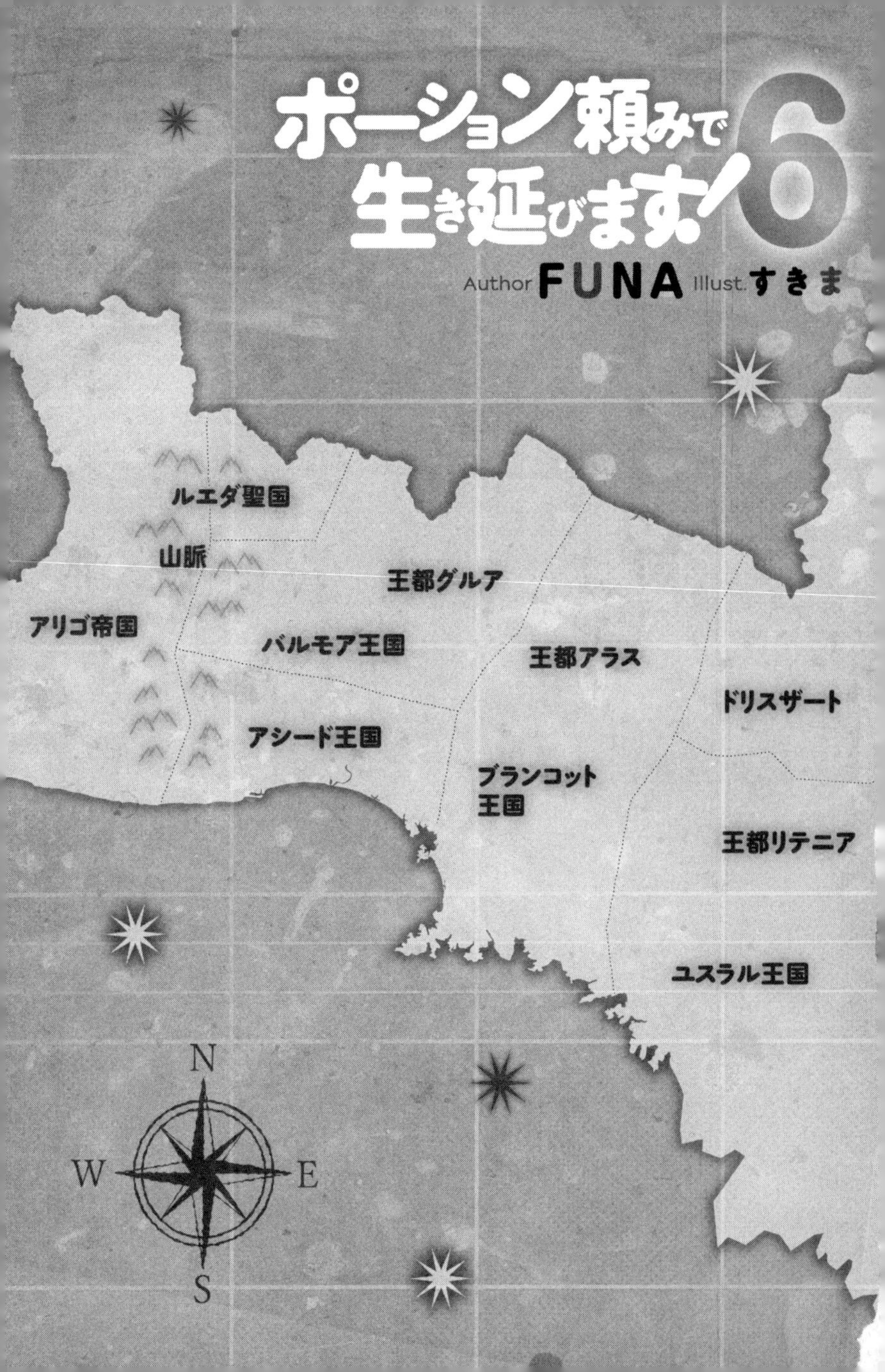
ポーション頼みで生き延びます！6
Author FUNA Illust. すきま
ルエダ聖国
山脈
王都グルア
アリゴ帝国
バルモア王国
王都アラス
ドリスザート
アシード王国
ブランコット王国
王都リテニア
ユスラル王国
N
W
E
S

CONTENTS

PORTION DANOMI DE IKINOBIMASU

Design
ムシカゴグラフィクス

第四十二章　状況確認

以前、『王宮には入らないと、女神に誓った』って言っておきながら、ついうっかりと、選《よ》りに選《よ》ってその王宮のど真ん中、国王陛下の執務室にのこのこと入ってしまった、私。

ここはひとつ、論理的に説明せねば……。

「お久し振りです、国王陛下。こんなこともあろうかと、セレスに『王宮には入らない、って誓ったけれど、非常事態で、かつ私が本当に必要だと判断した場合には適用除外、ってことでいい？』とお願いしておいてよかったです！」

うんうん、これで問題なし！

「あ……、ああ、そうだな……」

さすがに、人前で兄に泣き付いたのが恥ずかしかったのか、少し顔を赤らめながら、適当な相づちを打つ王様。

ロランドは適当に扱っているけれど、王様には別に思うところがあるわけじゃないし、仮にもこの国の国王陛下なのだから、ちゃんとそれらしい対応をするよ。でないと、『御使《みつか》い様は、国王陛下より立場が上であり、偉い』なんて噂《うわさ》が広まっちゃ、大変だからね。

……私は御使い様じゃない、と否定するのは、もうとっくに諦めた。

「それで、ブランコット王国の状況はどうなんだ？」

まだ自分に抱きついている王様を鬱陶《うっとう》しそうに押し退《の》けながら、ロランドがそう聞くと……。

「はい、すぐに説明します。まずは、そこにお座りください」

そう言って接客用のソファーを指し示し、自分もそこに座る王様。

まぁ、先に王様が座ってくれないと、客の方が先に座るわけにはいかないよねぇ。来客が、他国の王様ででもない限り。そして他国の王様は、こんなところでお迎えしたりはしないだろう。

侍女が飲み物を持ってきた後、他の者は全員人払いし、王様と私達だけになった。

そして、国王陛下である、ロランドの弟セルジュから詳しい話を聞いた。

それによると、使者の近衛兵から聞いた通り、隣国ブランコット王国で国王が急逝《きゅうせい》、皆さんお馴染《なじ》みの後継者争いが起こったらしいのだ。

そして普通であれば、当然、長子である第一王子、つまり、あのいけ好かないフェルナンとかいう奴《やつ》が国王となるはずなのに、第二王子であるギスランとかいう奴がしゃしゃり出た、と……。

どちらも正妃の子なので、身分の低い側妃が生んだ第一王子と、侯爵の娘である正妃が生んだ第二王子が、とかいう問題はなかったけれど、しっかりしていてまともな第一王子より、我が儘《まま》で己の欲望に忠実な第二王子が王位を継いでくれた方が都合が良い者達がいた、ってことらしい。

あ〜〜…

あのフェルナンとかいう奴は、私にとってはストーカーであり、とんだ疫病神だったけれど、何と、私のこと以外では、割とまともだったらしいのだ。意外なことに……。

まぁ、そういうわけで、先王が急な崩御《ほうぎょ》だったため正式な後継者の指名もないまま……、って、そんなことは必要がないくらい、第一王子が王位を継ぐことが当然と思われていたらしいけれど……、とにかく、それを理由に難癖を付けて、第二王子を王位に、とか企んだ連中がいたらしい。

そしてその理由のひとつとして挙げられたのが、『第一王子は、御使い様の御不興を買った。なので、第一王子が国王になれば、女神セレスティーヌの御加護が受けられなくなり、国が滅びる』ってことらしい。どこかの馬鹿が、何か適当なことを吹いたらしいのだ。

更に、神殿の神官達とは別に、王宮に食い込んだ『自称・高位神官』とやらがおり、金をバラ撒《ま》いてコネを作り、扱いやすい第二王子を担ぎ上げて甘い汁を吸おうとしている第二王子派に取り入ったらしい。

神殿側は、そんな怪しい連中は受け容《い》れなかったが、第一王子が御使い様の不興を買ったということは否定できず、その件に関しては口を出さなかったらしいのだけど……。

そこで、先王の急な崩御。

噂では、元気そうだったのに急な病死であり、毒殺の可能性があるとか……。

元々第一王子が王太子であり、第二王子より優れており人望もあることから、王位継承については何の問題もないはずだった。なのに、『先王は、後継者として第二王子を御指名された』という一方的な主張をして新国王を僭称《せんしょう》する第二王子一派が、それを否定する第一王子一派の貴族達の屋敷を急襲、更に武力により王宮を制圧。

しかし、第一王子は腹心の者達と共に、国王になる者、つまり王太子にしか伝えられていない秘密の脱出経路を使って王宮から姿を消し、以後、消息不明、とのことであった。

「よくある話ですねぇ……」

「ああ、よくある話だ」

私の感想に同意する、ロランド。

「中には、面倒だからと王位を押し付け合う兄弟もいるというのに……」

「ははは……」

私の言葉を聞いて、王様はがっくりと肩を落として、力なく笑っている。

ま、世の中、色々あらーな！　元気出していこう！

「そういうわけで、今は第二王子であるギスランとやらが王宮を掌握していますが、その正統性を信じている者なんか、ひとりもいないそうです。第二王子を担ぎ上げている連中の中にさえ。皆、刃向かうとその場で粛清されることを恐れて黙っているか、勝ち馬に乗って甘い汁を吸うことしか考えていないかのどちらかであり、少し状況が変われば簡単に崩れ去るという、砂上の楼閣《ろうかく》に過ぎません。ですから……」

「どうしても、最大の不安の種である第一王子を一刻も早く消し去りたい、というわけか……」

「はい。そうすれば、一応は、継承順位的には第二王子が正統後継者となりますから。但し、父殺し、兄殺しの簒奪者《さんだつしゃ》に王位を継ぐ資格があるかどうかは、また別の話ですが……」

そのような者に、王となる資格などあろうはずがない。

もし第一王子が亡くなったとしても、王家の血を引く他の者に継承させるべきであろう。亡くなった先王には娘がいるし、また、先王の弟の子供達もいる。第二王子を廃嫡《はいちゃく》しても、王位継承者がいなくなるわけではない。

そしてさすがに第二王子も、それらの者達や、さらに傍系の全ての王族関係者達を皆殺しにするわけにはいかないであろう。

そして国王セルジュは、今度は自国の対応状況について説明を始めた。

「『四壁《しへき》』は、東側国境に配置しました。南方のアシード王国側、西方のアリゴ帝国側は、脅威度が低いと判断し、通常の配置のままです。念の為、そちらから兵を抽出することはしていませんが……。

その他の常備軍、徴募兵達は東側国境へ。また、アシード王国もブランコット王国との国境に兵を集め、更に我が国寄りにも兵を集中し、我が国からの援軍要請があり次第、国境を越えて進軍してくれる手筈となっています」

「うむ、完璧だ。こちらから手を出すわけにはいかないから、あとは向こうから宣戦布告があるか、もしくは布告なしで国境を越えてくるのを待つだけだな」

「はい。迎撃戦となりますから、戦場が我が国の国土となり、土地が荒れるのが悔しいのですが、仕方ありません……」

気弱そうにしていたのに、やるべきことはしっかりとやっていたらしい。

まぁ、あんまり無能なら、ロランドが王位を譲ったりはしていないか。いつもロランドと較べられて気の毒だけど、ロランドがいなければ、充分立派な王様なんだろうな、多分。

あれだ、『兄より優れた弟など存在しねぇ‼』ってやつ……。

ま、そういうわけで、バルモア王国としては、ブランコット王国側からのアクションがあるまでは動けず、そしてそのためにどうしても後手に回らざるを得ない、というわけだ。

自国が戦争を吹っ掛けた側になるわけにはいかないので、それは仕方ないことだろうけど、国王セルジュが言った通り、戦場が自国内となるのは大きなデメリットだ。

バルモア王国の『国としての立場と体面』があるから、やむを得ないことなんだろうけど。

……しかし、それは私には何の関係もない。

勝手に名前を利用され、言ってもいないことを捏造《ねつぞう》され、レイエットちゃんが襲われ、そして私が襲われた。

うん、既に、完全に向こうからの宣戦布告済みだ。

もしくは、宣戦布告のない奇襲攻撃を受けた後。

ならば、反撃してもいいよね？　……個人的に。

「じゃ、私達はこのへんで！」

「「「え？」」」

眼をまん丸にしている、ロランド、フランセット、そして王様。

「いや、私達はロランドを送り届けにきただけだし。用が終わったから、帰ります。……それが何か？」

「「「えええええええっっ!!」」」

ありゃ、私が何か戦争のお手伝いをするとでも思っていたのかな？

「いや、人間同士の戦争のお手伝いなんかしませんよ」

「「…………」」

何か、当てが外れた、というような顔の、ロランドと王様。

フランセットは、私が帰る、と言った時には驚いたみたいだけど、その後の私の言葉、戦争を手伝う気はない、という方には、あまり驚いた様子はなかった。勿論、エミール、ベル、レイエットちゃんは、平常運転だ。

私のことが全く分かっていないのは、ロランドだけか。結構長い間、一緒にいたのになぁ。

……そして、この中では一番頭がいいはずなのに……。

やはり、『頭がいい』ということと、『人を理解する』ということは、別物かぁ。

そして、何だか複雑そうな顔をしているロランドと王様を残して、私は懐かしの我が家、『女神の眼』のみんなが住んでいる家へと向かう。

……そう、私は、他人の戦争を手伝ったりはしない。

これは、私の戦争だ。

お手伝いではなく、主催者側だよ。そして、こっちから殴り込んでいく方。

……で、それはいいんだけど。

フランセット、どうしてあそこに残らずに、私達についてくるのかな？

それも、にこにこと、凄く嬉しそうな顔をして……。

＊　　＊

「帰ったよ～！」

どたどたどたどたどた!!

「「「「お帰りなさい!!」」」」

数ヵ月振りの、我が家。

……というか、ここは孤児達の家、というイメージが強くて、私はただの居候みたいな感じなんだよなぁ……。

いや、別に、サボってゴロゴロしていたわけじゃない。孤児達の自立心を養い、生活能力を身に付けさせようと考えて、炊事洗濯、掃除に生活費稼ぎと、全てを孤児達の手に委《ゆだ》ねていただけなのだ！　だから、私やエミールが不在でも、ちゃんとやっていけていたんだ。

家事は、女の子だけでなく、男の子達にも仕込んだ。

男の子達には自立できるよう外での仕事に役立つことを教えて、女の子には家事だけ、なんて時代錯誤なことはしないよ！

……いや、この世界の、この時代では、時代錯誤ではなくそれが当たり前なのかもしれないけれど……。

でも、私は男女の別に関係なく、みんながそれぞれ自立できて、自分の身の回りのことは自分でできる、というように育てた。結婚前のひとり暮らしの間もきちんと自活できて、そして結婚後も、奥さんに家事や子育てを全部押し付けるようなクズにはなって欲しくないから。

そしてみんな、立派に育ってくれた。ひとりひとり全員が、私のために家事ができるように。

……コイツらは、私が育てた！

私達が戻ることは、ちゃんと『音声共振水晶セット』で事前に連絡してあったから、みんな喜んではいるけれど、そんなに驚いている様子はない。

事前に連絡しておかないと、私が突然帰ってきたりすれば、子犬のように嬉《うれ》ションを漏らしてしまいかねない。いや、ホント。

帰ってきたからといって、私が不在の間のことの報告を求めたりはしない。

……しょっちゅう『音声共振水晶セット』で連絡しているから、情報はほぼリアルタイムで手に入っていたからね。何度も『そんなに細かい報告は必要ない』と言ったけれど、私に報告したい、私と話したい、という子供達の熱望に押し切られて、いつも、どうでもいいような話に付き合わされていたのだ。

旅先で、この国の王都の八百屋でタマネギの価格が銅貨1枚分下がった、とか報告されても、何の役にも立たないよ……。

まぁ、とにかく、久し振りの我が家だ。

とりあえず、床に寝そべって、子供に背中を踏んでもらう。いや、気持ちいいのだ、これが……。

「ぐえっ！」

あ、変な声、出た。

というか……。

「やめんか！　潰れるわっ！　ベル、あんたは背中踏みはとっくに卒業したでしょ！　体重が重くなりすぎた者は背中踏み係卒業、って決めたじゃないの。さっさと退《ど》く!!」

悲しそうな顔で、私の背中から降りるベル。

いや、いくらそんな顔をしても、これぱかりは譲れないよ。背骨、折れちゃうから。

そして、渋々ベルが明け渡した私の背中に、ベルより年上だけど小柄な、別の子が……。

そう、ベルよ、年下のくせにそんなに発育が良かった、自分の身体を怨むがよい。……特に、胸！

そのために、私の背中踏みの座を他の者に奪われるのだ!!

「ぐげぇ！　と、飛び乗るなあぁ！　そして、一度に３人も乗るなあああぁぁっっ!!」

中身がはみ出て、死んでしまうわ!!


と、しばらくはそんな自堕落《じだらく》な生活を……。

やっぱり、よく考えると、私が相手をするのであっても、向こうに国境を越えてもらってからの方がいいよねぇ。この国の立場としても、神罰としても。

御使い様に喧嘩《けんか》を売った、というだけでも充分な理由にはなるけれど、御使い様の住む国を侵略した、というのがプラスされた方が、圧倒的な悪人感がある。それに、国境を越えさせて、アシード王国との秘密協定が発動する条件を満たさせた方が、後々便利だろう。

そういうわけで、フランセットに王様からの情報収集役を押し付けて、私は久し振りに、子供達との交流（家事丸投げでゴロゴロ生活）を……。

あ、レイエットちゃんを、『女神の眼』の新メンバーであると言ってみんなに紹介した。

今までずっと私達と一緒だったけれど、本当は、これくらいの年齢の子供は、子供達の中で暮らすべきだ。大人の中に小さな子供がひとりだけ、というのは、決して良い環境じゃない。そして間もなく、私は戦場に向かう。

……連れて行けるわけがない。

なので、レイエットちゃんは『女神の眼』のひとりとして、ここでみんなと一緒に暮らしてもらわないとね。私の癒しがなくなっちゃうけれど、私の都合で幼い子を連れ回すというのは、レイエットちゃんのためには、決して良くはない。

我慢だ、我慢！　ここへ戻ってくれば、いつでも会えるのだから……。

そしてみんなには、寝る前のお話の時間に、色々と訓育を行った。

いや、この子達、女神《わたし》を信仰する敬虔《けいけん》で誠実な良い子に育っているんだけど、……ちょっと私に依存し過ぎなのだ。

もう、私がいなくても立派に生きていけるくせに、なぜか誰ひとり巣立とうとしない件。

最年長のエミールは現在16歳、間もなく17歳になるはずだ。そして最年少は、レイエットちゃんを除けば、12歳のベルだ。

そう、既にみんな、とっくに独り立ちして住み込みの丁稚《でっち》や工房の見習い職人、ハンターや軍の幼年兵とかの、普通の職業に就いていて然《しか》るべき年齢だ。

つまり、みんな、『幼少の頃に両親を失った、普通の社会人』という年齢であり、エミールを含む何人かは、既に成人だ。もはや、『孤児』じゃない。

就職先も、普通であれば、身元引受人も保証人もいない、そして何のコネもない元孤児がまともなところで働くにはハードルが高いけれど、御使い様と一緒に暮らしており、私《わたし》の庇護《ひご》下にある者を雇わない経営者なんかいないだろう。その気になれば、どこの大店《おおだな》でも採用してくれるはずだ。下手をすると、貴族家の使用人として雇われることすら可能かもしれない。

……なのに、どうして独り立ちしようとしないんだよ!!

旅に出るまでの4年間、今回のような『就寝前のお話』で、たっぷりと教育した！

料理、読み書き、算数、世の中の仕組み、金儲《かねもう》けをするための方法、詐欺の手口……自分達がやるためにじゃなくて、引っ掛からないようにだよ、勿論《もちろん》。そして、基本的な化学や物理学に、医学や、その他諸々……。

勿論、退屈させないようにと、様々な物語も聞かせた。主に、日本の漫画やアニメ、そして地球の神話や童話のストーリーを……。

多分、昔は異世界《わたしのせかい》での実話だと思って聞いていたのだろうけど、さすがに、この歳になれば架空の物語だと分かっているだろうけどね。

とにかく、望めば、大抵のところには就職できるように鍛えたつもりなんだ。なのに、どうしてみんな、未だに私設孤児院《こ こ》から出ていこうとしないんだよ！

そりゃまぁ、ここで共同生活をしていれば、家賃も無料《ただ》だし食費も安上がりだから、お金が貯まるけど、いつまでも共同生活が続けられるものじゃない。そのうちみんな、恋人ができたり、結婚したりするだろうし。

……というか、エミールとベル、ここでみんなの前でイチャイチャするつもりじゃないだろうな！

そんなこと、たとえ世間が許しても、この私が許さない！　そのような、女神をも恐れぬ不埒《ふらち》な真似は!!

はぁはぁはぁ……。

とにかく、この家はみんなにあげたのだから、生活費節約のために結婚するまではここに住む、っていうのは、まぁ、いいだろう。

でも、意地でもここから通える仕事しかしない、というのは、如何《いかが》なものか。

住み込みとか遠くの場所でもいいから、もう少し、将来性のある仕事をだね……。

ここは、みんなの実家、帰省先、ってことでいいじゃん。ずっとここに住み続ける、ってことに拘《こだわ》らなくても。

やはり、アレか？　一種の呪い、『呪縛』になっちゃってるのかなぁ、私から下賜《かし》された家、ってことで……。

「ねぇ、あんた達、今やってる使い走り《メッセンジャー・ボーイ》とか雑貨屋の店番、子守りとかの半端仕事じゃなくて、もっとちゃんとした、将来性のある正規の職に就くつもりはないの？　あんた達なら、もっと……」

「職業に貴賤《きせん》はない、って教えてくれたの、カオルじゃん！」

「うっ……」

「正規雇用は、給金に見合わない過大な義務や責任を押し付けられたり、ただ働き《サービスざんぎょう》とか、休養日出勤とか、人間関係とか、色々あるからね。女性は、立場を利用した上司や先輩から無理矢理言い寄られたり……」

「ううっ……」

くそ、非正規雇用者みたいなこと言いやがって……。

しかもそれ、私が教えたやつ……。

これはイカンぞ、本当に……。

「みんな、そろそろ独立する気はないの？　私もこの先ずっとここに住み続けるつもりはないから、そろそろここから立ち去ろうかと思っているんだけど……。

そしてみんなが独り立ちすれば、ここは売り払って、そのお金をみんなで分けて新生活の足しにしてくれればいいと考えているんだけど……」

そう、ここを売り払ってなくせば、みんな、自由に世界に羽ばたいてくれるだろう。

そして私は、今回の件が片付けば、またすぐに旅に出るつもりだ。

一応、この国の住民だという籍は残しておくつもりではある。あくまでも私は『旅に出ているだけ』であり、この国の、そしてこの街の住人である、という形にしておいた方が、色々な揉め事が回避し易《やす》いだろうからね。

無所属で旅をしていたら、正体がバレた時に、自国に住み着くようにという勧誘が激しくなりそうだし、またこの国が『御使い様に見捨てられた』とか言われるのも申し訳ないからねぇ。

だから、『この国の者である』という籍は残すけれど、そのために無人の家を放置しておく必要はないし、ここを残しておくと、この子達がここに縛られてしまい、せっかくの才能を埋もれさせてしまう。

この子達がせっかく身に付けた知識と教養を無駄にすることなく、ここから飛び立って活躍してくれれば、この国の、いや、この世界のためになるだろう。……ほんのちょっぴり、くらいは。

それはこの子達の幸せに繋《つな》がるだろうし、間接的に私がこの世界の役に立てたということであり、私もちょっぴり嬉しい。

……あれ、私の言葉に、何だか激しく動揺してるみたいだな、みんな……。

「そ、そそそ、それって……」

「カオルおねーちゃん、天界に帰っちゃうの……」

「み、見捨てるの？　私達を見捨てるの？」

あ、イカン、子供達が泣き出しそうだ！　……というか、もう既に何人か泣いている!!

でも、ここで甘やかしちゃ駄目だ。この機会に、ハッキリと言わなくちゃ……。

「私も、いつまでもみんなと一緒にここで暮らすというわけにはいかないんだよ。私だって……」

「カ、カ、カオルおねぇちゃんだって……？」

泣きそうな顔でそう聞き返した子に、仕方なく、無慈悲な宣告を行う私。

「結婚して、お嫁にいく時が……」

「「「「「「あ、当分は大丈夫だ!!」」」」」」

……どうしてここで、あからさまに安心したような顔をして、笑顔になるかな！

とんでもなく失礼だな、オマエタチ……。

「いや、私も、自分の世界の管理をしなきゃならないから！　セレスみたいに……」

そう、一般の人達には、私は『女神セレスティーヌの御友人』……殆《ほとん》どの人は、私の必死の否定にも拘《かかわ》らず、『御使い様』という呼び方を改めようとはしない……ということになっており、あくまでも『女神の御寵愛《ごちょうあい》を受けけし、人間の少女』ということになっているけれど、この子達とフランセット、ロランド、アダン伯爵家一同、その他少数の者達には、『異世界の女神様』ということになっている。なので、この子達には、こういう説明でいいんだ。

「だから、そろそろ戻らなきゃならないかな、と……」

「「「「「「…………」」」」」」

私の言葉に、反対して引き留めたいけれど、女神としての大事な仕事のこととか、女神が不在である私の世界の人達が困っているかも、とか考えているのか、何も言えずに黙り込んでいる子供達。

また泣き出しそうな顔をしているけれど、ここは我が儘を言っちゃ駄目なところだということを理解しているのか、子供達は何も言わない。

そしてここは、甘やかしちゃ駄目なところだ。ここで子供達が可哀想だと思って甘い言葉を掛けると、今までと同じになってしまう。ここは、心を鬼にして……。

「女神を自分達だけで独占したり、自分の力で生きていこうとせず、ずっと女神に頼り切りで生きている人間に、女神の加護を受ける資格があると思う？」

ぐす、ぐすぐす、というすすり泣きが聞こえてくるけれど、それを無視して背を向けて、自分の部屋へ向かった。

……泣きたいのはこっちだよ！

＊　　＊

「「「「「「…………」」」」」」

翌朝、起きて居間へ行くと、子供達が食卓に着いたまま俯《うつむ》いていた。

……みんな、眼が赤い。

それでも朝食の準備はちゃんとしてあり、勿論私の分も配膳してある。

私が席に着き、いただきます、と言うと、みんなもボソボソと『いただきます……』と……。

「お通夜かっ！　鬱陶しいわっっ!!

私は、いつも『食事の時は、楽しく！　嫌なこと、辛いこと、悲しいことがあっても、食事の時は無理をしてでも、虚勢を張ってでも元気に明るく！』って教育してきたでしょ！　……でないと食事が不味《まず》くなるし、ますます気が滅入《めい》るから！」

私がそう言って活を入れても、いつもならば無理にでも笑顔になろうとするはずの子供達が、一向に元気そうな顔をしない。

「だ、だってぇ……」

「無理なものは、無理だよぅ……」

「うえ、うえぇ……」

……駄目だ、こりゃ……。

何とかしないと、本当に、この子達が駄目になっちゃうよ……。

「自分達だけで生きていこうとしない者に、私からの加護を受ける資格があると思うの？」

「……でも、自分達だけで暮らせるようになったら、カオルがいなくなっちゃう……」

あ、確かに……。

既に一度旅立ったんだけど、あれは『婿探しの旅で、婿を捕まえたら戻ってくる』とでも思っていたのかな。この家を守って待っている、とか言ってたし、エミールとベルも一緒だったから。

でも、今度は本当に私が去ってしまうかも、という危機感を抱いているのかな。

う〜ん、どうしよう……、って言っても、どうしようもないよねぇ……。

第四十三章　開戦

あれから、3日。

その間に、アシルの兄嫁さんに言い訳をしに行った。

あれは子供達の自立と生活能力を身に付けさせるためにわざとやっていたのであり、別に私が怠《なま》けるために家事を子供達に丸投げしてゴロゴロしていたわけではない、と……。

本当ですか、と言われたので、『私の、この眼を見て下さい！』と言ったところ、じっくりと顔を覗《のぞ》き込まれて……、『嘘《うそ》ですね！』と、ひと言で斬って捨てられた。

……どうして分かるんだよ!!

とにかく、何とか言い訳をして、離脱！

次に、マイヤール工房への顔出し。

いや、私の後釜のロロットには勿論《もちろん》家で毎日会ってるけど（そうい

えば、工房に住み込みのはずなのに、どうして毎日家にいるんだ？）、アシルに『愛人の誘い』とかいう件を問い詰めねばなるまい！

そう思って乗り込んだら、突然アシルに土下座された。

……殺されるかと思った？　そうとしか思えない眼付き？　うるさいわっ！

まぁ、以前の『子爵家の三男』ならばともかく、男爵様になっちゃった今では、孤児を正妻にするのは難しいか。

せめて生まれた子供に貴族としての身分が与えられる側室であればともかく、使い捨てで何の権利もなく、子供にも継承権どころか貴族の身分も与えられない愛人では、いくら玉の輿とはいえ、ちょっと辛いよねぇ……。

いったん、形だけどこかの貴族の養女になって、という方法はあるけれど、ごく一時的、かつ書類上だけのこととはいえ、平民の孤児を自分の家系に入れてくれる貴族なんか、そうそうあるもんじゃない。余程お金に困っていて、巨額の礼金を用意されでもしない限り……。

そりゃ、私が頼めば、嫌々ながらも引き受けてくれるだろうとは思うよ。

でも、相手が嫌がること、しかもお家の名誉に関わることを私の名前を使ってゴリ押しするのは、何か、違うと思うのだ。

いや、ひとつ方法があるのは分かってる。

ロランドが私のために用意しているという爵位を受けて、私が養女にする、って方法だ。

これなら、私はロロットを養女にすることなんか全然気にしないし、養女とはいえ私の娘を正妻に迎え入れない貴族なんかこの国にはいないだろう。

完璧だ。……ふたつの問題点を除いて。

ひとつは、私が貴族なんかになる気が皆無だということだ。余計な義務や重荷を背負わされたり、この国に縛り付けられるのは御免被《ごめんこうむ》る。

そしてもうひとつは、『それは、あまりにも贔屓《ひいき》が過ぎるだろう』ということだ。『女神の眼』のみんなは、たまたま早期に私と出会ったというだけで、他の孤児達と較べ、あまりにも優遇され続けた。

王都、いや、この国には、多くの孤児達がいる。でも、その全てを私が面倒見られるわけじゃない。たまたま出会い、私の手伝いをしてくれた連中を、報酬代わりにほんの少し面倒をみてやっただけだ。それを、貴族の正妻にまで押し上げるのは、やり過ぎだ。

ロロットには、自分の人生は自分で決めて、自分の力で切り拓《ひら》いて貰おう。……自分が持っている手札だけで。

私が口出しすべきことじゃないか。じゃあ……。

「……まぁ、頑張れ！」

そう言ってアシルの肩をポンポンと叩き、工房主のバルドーさんや他のみんなに挨拶して、少し話したあと、帰った。

そして、そうこうしていると、フランセットが王宮から情報を仕入れてきた。

「ブランコット王国軍が動き始めたそうです。軍事行動に反対する貴族や軍の指揮官も多いそうですが、国王や上官の命令に従わないわけにはいきませんからね、自分の命や立場が惜しければ……」

ま、そりゃそうだ。しかも、自分だけで済めばいいけど、下手すれば、家族や一族郎党皆殺し、とかだからねぇ。

第一王子ならそんな馬鹿なことはしないだろうけど、第一王子より人望がないのを自覚している、力尽くで王位を手に入れた第二王子。しかも第一王子がまだ生きている、となれば、自分に反対する者は必死で叩《たた》き潰すしかないよねぇ、過剰なまでに……。

そしてそれが、更に人望を失う結果となるのに、第二王子を担いでいる連中はそれを止めもしないんだろうな。

ま、当たり前か。自分達の邪魔になる者は潰された方がありがたいし、下手に第二王子に諫言《かんげん》したら自分が潰されるわけだから。

国や国民の事は全く考えず、自分達の利益しか考えていないのならば、余計な危険を冒すはずがない。

「国境到達予定は？」

「4日後です。おそらく3日後の夕方には国境近くに到達、そこで夜営して、翌朝、越境するものと思われます」

うん、夕方に敵地に入って、すぐに夜営する者はいないよねぇ。

「じゃ、念の為、3日後の朝には現地へ行っておこうか。出発は、明日の朝かな」

間諜《かんちょう》が情報を持ち帰るのに掛かった時間とか、色々あるけれど、輜重《しちょう》部隊を引き連れた完全装備の軍隊の移動には、時間が掛かる。アイテムボックスのおかげで手ぶらの私が、ポーションでパワーアップしたエドに乗って飛ばすのとでは比較にならないから、それで充分間に合うはずだ。

「国軍は？」

「はい、元々即応態勢に入っていましたから、既に出発準備に入っています。

勿論、事前に展開させておいた兵力もありますから、おそらく、それらの兵力と合流して、国境から1日分くらい手前で迎え撃つのではないかと……。

あそこは、住む者もなく作物も取れない荒れ地ですし、敵を迎え撃つのに適した地形ですから」

うん、大事な穀倉地帯で戦闘するような馬鹿はいないよね。

あ、いや、そこが敵国の領土である場合は、その限りじゃないか。戦いに確実に勝利し、すぐにそこが自領になるのが分かっている場合を除いて。

「よし、じゃあ、明日に備えて今日はさっさと寝るか！」

「「「「「「………」」」」」」

ああ、後ろで話を聞いていた子供達の表情が……。

「何、心配してるのよ。私が人間如《ごと》きにどうにかされるとでも思ってるの？」

「「「「「「…………」」」」」」

まぁ、いくら『自称・女神様』とはいえ、心配するなというのは無理があるか。

それじゃあ……。

「大丈夫よ、万一のことがあったとしても、この、仮の身体が損傷して使えなくなるだけで、私自身がどうこう、というわけじゃないからね。最悪の場合でも、私の今回の休暇が少し早めに終わって、私の世界に戻るだけだし。多分、仕事がたくさん溜まっちゃってるだろうしねぇ……」

ああっ、逆効果だ！　ますます空気が重くなっちゃったよ……。

そして、それとは対照的に、嬉しそうな顔をしているフランセットとエミール！

フランセットはともかく、エミール、お前は連れていかないよ！


「「えええええええ!!」」

お前達は連れていかない、と言われて、驚愕の叫びを上げるエミールとベル。

いや、当たり前だろ！

フランセットとは違って、いくら頑張っているとはいえ、エミールは所詮、一般兵士と熟練兵士の中間くらいの腕前だ。戦場で確実に生き残れるような腕じゃない。ベルに至っては、使用回数一回限りの、使い捨ての盾にもならないだろう。

あ、いや、いくら強くても、戦場で確実に生き残れる、なんて者が存在するわけじゃない。流れ矢、敵に取り囲まれて袋叩き、その他色々、何があるか分からない。フランセットでさえ、4年半前の対アリゴ帝国戦において致命傷を受けたのだから……。

まぁ、今回はあんな戦いにするつもりはないけどね。

でも、何とか宥《なだ》めないと、無理矢理ついて来そうだなぁ……。

よし！

「一番頼りになる切り札を、ゴチャゴチャした戦場で無駄に使ってどうするのよ。あなた達は、ここでみんなを護りつつ、最悪の事態、つまり『王都絶対防衛戦』の時に私を護って一緒に戦うためにここで待機しておくのよ」

「「はいっ!!」」

元気よく返事する、ベルとエミール。

……チョロい。

＊　＊

……そして、ブランコット王国軍の越境予想日の前日、国境線から侵攻軍（輜重部隊付き《しちょうぶたいつき》）の移動速度でおよそ1日くらいの場所にある荒れ地に展開するバルモア王国軍を遠くに望みながら、私達は更にその前方へと進出していた。……王国軍には顔を出さず、こっそりと。

勿論、子供達を連れてきたりはしていないし、国王は王宮でどっしりと構えているものであり、前線に出てきたりはしていない。

ロランドは、少し後方で本隊、つまり主力を率いて待ち構えているらしい。

勿論、実際に采配を振るのはベテランの将軍なのだろうけど、神輿《みこし》としての総大将役なのだろう。

なので、ここにいるのは、私、そして……。

「どうして居るかなぁ、フランセット……。あなた、ロランドの護衛じゃないの！」

「え？　あの時、『女神の守護騎士、エインヘリヤル』の称号を戴いておりますが？」

「うっ！」

……確かに、あの場のノリで、そんなことを言った記憶がある……。

「で、でも、王国貴族として、騎士として、そしてロランドの護衛としての責務と、任務が……」

「連絡将校《リエゾン・オフィサー》です」

「え？」

「連絡将校です」

「えええ？」

「連絡将校です」

「ええええええええ！」

……くそ！

ま、いいか。

フランセットは、エミール達とは違って、この世界の『カオル』ではなく『日本人、長瀬《ながせ》香《かおる》』の視点でも、立派な大人だ。アラサーで、生活年齢も私よりずっと上の……。

だから、その判断と選択には、自分で責任を持ってもらおう。……そう、自己責任だ。

フランセットは、私があれこれやって必死で守るべき存在じゃない。逆に、こっちが守ってもらう方だ。

というわけで、ブランコット王国軍中心部殴り込み戦隊、全兵力2名。

『俺達は？』

あ、ごめん。2名と2頭ね。エドと、フランセットの愛馬を加えて。

そんじゃ、いっちょ、やってみよ～！

「とりあえず、お茶にしようか」

「はいっ！」

念の為に早めに来たけれど、敵がここへ来る予想時間は、明日の午後だ。アイテムボックスからテントとベッド、椅子《いす》とテーブル、そしてお茶を煎れるための茶器類を出して、のんびり待とう。

＊　＊

そして、翌日の昼過ぎ。

遠くの方に、ブランコット王国軍の姿が見えた。

勿論、向こうもバルモア王国軍前哨《ぜんしょう》部隊も互いに索敵のための小部隊を放っているだろうから、互いの位置は把握しているだろう。なので、さっさとテントを撤収、収納して、馬2頭と小娘ふたりがポツンと立っているだけの私達なんかは完全にスルーされるはず。ここまで来て、今更見張り員のひとりやふたりをどうこう、ということもあるまい。

そういうわけで、次第に距離が縮む両軍の様子を眺めながら、タイミングを図る私達。

動かず敵を待ち構えるバルモア王国軍と、迫り来るブランコット王国軍との距離が700〜800メートルくらいになり、まだ弓合戦が始まるには充分間がある時に、エド達に乗って側面から、両軍の真ん中へと駆け込んだ。そして……。


どご〜〜ん‼

上空で大爆発を起こす、『ニトログリセリンのようなもの』。

そう、お馴染みのアレだ。出現してすぐに2種類の薬品が接触して起爆する、あのひょうたん形のガラス容器。

そして、ブランコット王国軍全軍が、ビタッ、という擬音が聞こえてきそうなくらいに綺麗に停止した。

ここで、『拡声器型のポーション容器』の出番である。

【王位簒奪者《さんだつしゃ》に味方し、女神セレスティーヌが友を託した国を侵略しようとする賊軍《ぞくぐん》どもよ、地獄に落ちるがよい！】


どごん！

どがん！

どこん！


空から降り注ぎ、次々と地上で爆発する、『ニトログリセリンのようなもの』が入ったガラス球。

落下地点はブランコット王国軍のやや前方であり、被害は全く与えていない。

……物理的な被害は。

「……な、なんだってぇ！　御使《みつか》い様はバルモア王国を見捨てて去ったって！　バルモア王国は、女神の御寵愛《ごちょうあい》を失った国だって言ってただろう！」

「御使い様は、ギスラン様が王となられることを後押しされているって！　これは聖戦で、俺達が神意を得た神軍だって！

なのに、どうして向こうに御使い様が味方して、俺達が賊軍で、神敵なんだよぉ！　話が違うだろうがよおォ!!」

「騙された！　俺達は、神敵である簒奪者野郎に騙されたんだ！　地獄に落ちたくはねぇ！　神罰で家族を殺されたくねぇよおおおぉ!!」

「嫌だ！　俺はこんな義のない戦いで神敵として殺されて地獄に落とされるために兵士になったんじゃねぇ！　家族のため、国のため、そして正義のために戦って、みんなの幸せを守りたかっただけなんだよおおおぉぉっっ!!」

大混乱に陥り、泣き叫びながら指揮官に摑《つか》み掛かる者、自国へと引き返そうとする者、武器を地面に叩き付ける者……。もはや、バルモア王国との戦争どころではなさそうである。

……身体も武器も物資も、一切の被害なし。

しかし、ブランコット王国軍は壊滅した。戦う前に、精神的に。

【道を開けよ】

ずざざざざ〜〜っ！

『拡声器型のポーション容器』でそう命令すると、人の海が割れて、真っ直ぐにひと筋の道が開いた。

……モーゼかい！

ともかく、兵士達に跪《ひざまず》かれ、開いた道を、満面の笑みを浮かべたフランセットと共に進む。

……あ、勿論、エドとフランセットの愛馬に乗って、ね。

しかしフランセットの奴《やつ》、そんなに嬉しいのかな、私が女神っぽい振る舞いをすることが……。

ま、ともかく、このまま行くか。

兵士達は、このまま反転して引き返すだろう。

戦闘が行われず、双方共に無駄な死傷者が出ないのは良いことだ。

兵士達はただ命令に従っただけであり、それも、今回は自分達の強い意志で、というわけじゃなさそうだし。

すべての事情が分かっていて、自国のために敵を殺して富を奪う、というような考えに凝り固まり、敵のことなんか完全に無視、説得なんか聞く耳持たず、というのであれば、実力行使により現実を思い知らせない限り、どうにもならない。

でも、こっちのことを知っていて、『丁寧に説明し説得したならば、理解してくれる』というのであれば、『説得』すれば充分だ。

「目的地、ブランコット王国王都、アラス。行くよ！」

「おおっ！」

『『ぶひひひ〜〜ん！』』

ちらりと振り返ると、出番が全くなかったバルモア王国軍前哨部隊の兵士達が突っ立っていた。

……うん、少し距離があるから、表情がよく見えなくて良かったよ。

いや、ゴメン！


「カオル様、この後は、どのように？」

自国に戻ってきて、そして私が今は女神として行動しているから、フランセットの私に対する呼び方が、『カオル様』に戻っている。ま、それは仕方ないか。

「さっきのやり方で、障害なしで王都へ行けるでしょ？　当然、バルモア王国軍も、そしてブランコット王国軍もついてくるだろうし……。

そして、あまり急がず普通に進めば、私達が到着する前に、早馬による知らせが各地に届くよね？

どこかに逃げ延びて機会を窺《うかが》っているであろう第一王子とか、やむなく第二王子に従っているだけの第一王子派とか、神殿の、元々のブランコット王国の神官達とかに……。

つまり、正面から堂々と王都に御入城、ってわけよ。便乗する勢力が集まるための時間的余裕を与えて、ゆっくりとね……」

私の説明を聞いて、にやりと笑うフランセット。

しかし、何か、少し心配そうな顔で、こう尋ねてきた。

「あの、カオル様。私が活躍する機会は、ちゃんとあるのでしょうね？」

……知らんがな！

＊　　＊

「何だと、カオルがバルモア王国に戻ってきただと！　そして、自らバルモア王国軍と我が国の侵略部隊を率いて、神敵ギスランを討つために王都へと向かっているだと‼

おお、女神の御加護、我らにあり！

すぐに呼応してくれる貴族や軍の高官に連絡を取れ！　連絡する範囲は、信頼度Aランクのみ。Bランク以下の者達には情報漏洩防止のため、決起の寸前まで知らせるな。

神殿は、大司教にのみ連絡を。他の神官達に知らせるのは蜂起後、と念を押せ」

「「「「はっ！」」」」

フェルナンの指示で、さっと散ってゆく腹心の部下達。

「そうか、カオルがな。ふふ。ふふふふふ……」

「あまり楽観視しないでくださいよ。……反撃作戦はともかく、その後の、カオルとのことは……」

にやけた顔で笑う第一王子フェルナンに、ファビオがそう言って釘を刺した。

「そうだぞ。カオルは、バルモア王国や、ブランコット王国の国民達のために動いてくれたのだろう。……決して、そう、決して、フェルナン、お前に対する愛で、とかいうわけじゃないからな。そこのところを勘違いして調子に乗ったら、とんでもないことになるぞ。分かってるな？」

「うっ……」

カオルの捜索に失敗し、それでも自由気ままな旅を満喫してからしゃあしゃあと戻ってきたアランにまでそう言われ、がっくりと肩を落とすフェルナンであった……。

＊　　＊

「何と！　御使い様が、軍を率いて王都へ！

おおお、神軍です！　邪教徒に取り入られて破滅へと向かおうとする我がブランコット王国を救うため、セレスティーヌ様がしもべをお遣わしになったのです!!

　分かりました、この情報はしばらく秘して、『その時』には、我ら神職者一同、身命を賭して女神と御使い様、そして人々のために……」

＊　＊

「……馬鹿な！　女神セレスティーヌはバルモア王国を見限り、御使い、カオル様はバルモア王国を出奔《しゅっぽん》、フェルナンと敵対して俺に味方してくれると言ったのは、お前達だろうが！

　それが、どうして……」

　そう言って神官達を責めるギスランであるが、神官達も寝耳に水であった。

　あの、ブルースとかいう司教からの連絡はそう頻繁ではなかったのか、連絡が途絶えたことはまだ不審には思われておらず、そしてカオルを利用することにも殺害することにも失敗した上、全てを吐かされて処刑されたという情報は、まだ届いてはいないようであった。

　しかし、神官というものは、口八丁で人を言いくるめるのが仕事である。

「何を言われているのやら……。御使い様は、バルモア王国軍を引き連れてギスラン様の許へと馳《は》せ参じておられるのですよ！

　これで、御使い様と共に自国の軍が我が国に寝返ったバルモア王国は丸裸、わざわざ戦いで『これから我が国のものとなる田畑や人民』を荒らしたり消耗させたりする必要はありません。ただ、全面降伏を迫れば良いのですよ」

「え……」

あまりにも見え透いた嘘《うそ》であるが、溺《おぼ》れる者は藁をも掴む。恐怖と絶望の中で目の前に示された『もしそうだったらいいな』という理想の回答に飛び付いた、いや、飛び付くしかなかった、第二王子ギスラン。

「そ……、そうか！　何だ、そうだったのか！　くそ、伝令兵の奴、偽情報を掴まされやがって！　はは、ははは……。おい、誰か、先程の伝令兵の首を刎《は》ねろ！」

もはや、これまで。

旧ルエダ聖国の神官達に対する財産の没収と犯罪行為の摘発が始まった時、いち早く財産を金貨や宝石に換えて脱出した者達のうち、持ち出した財産でのんびりと余生を送ることにした者達を敗北者と罵《ののし》って再起を図った者達。

その内の、旧ルエダ聖国を併合したバルモア王国に隣接するブランコット王国の中枢部に食い込み、復権と復讐に懸けた一団。

彼らはルエダ聖国から脱出した者達だということは伏せ、布教のため遠国から来た神官達だという触れ込みで第二王子に取り入った。ルエダ聖国から持ち出した、潤沢な資金にものを言わせて。

王位を求める馬鹿な第二王子にとって、第一王子が王位を継ぐのが当然だと認識しているこの国の神官達は敵であった。

なので、自分が王にふさわしい、女神と御使い様もそれを望んでおられる、と囁《ささや》く旅の神官達の言葉は心地よく、王宮《せいじ》と神殿《しゅうきょう》は不干渉、という暗黙の了解を無視して、その者達を側に置いた。

そして、その者達が言うことを『神官達がそう言っている』と称して流布《るふ》。

国王が急死した時、『たまたま、その場にひとりだけ居合わせた第二王子』が、国王の最期の言葉は『自分に王位を継がせる』というものであったと主張して、直ちに第一王子の身柄を拘束すべく行動。

しかし、第一王子は代々王太子にしか伝えられない秘密の脱出路を使って腹心の部下達と共に姿を消し、脱出に成功。第二王子は、国のことより自分達の利益の方が大切である取り巻き連中と、今は自分に従ってはいるが第一王子が現れればどういう態度を取るか分からない家臣達に、とにかく第一王子を始末して自分が正統な王位継承者であることを認めさせるしかなかった。

そのため、第一王子の捜索と併行して、軍部や商人達を味方にし、そして国民の不満を逸らせ、更にどさくさに紛れて都合の悪い者達を消すという一石三鳥の手段として隣国バルモア王国に対する侵略を開始したわけであるが、勿論、その判断には『自分に適切なアドバイスと女神の御心を伝えてくれる、旅の神官達』からの言葉が大きく影響していた。バルモア王国を併合すべし、という、その言葉が……。

旅の神官達の望み。

バルモア王国を、そして今はバルモア王国の一部と成り果てたルエダを占領し、自分達を裏切り追い出した者共に復讐を！　そして、再びあの栄光の日々を!!

……しかし、それもこれまで。

予想もしていなかった、御使い様のバルモア王国への帰還と、正面切っての全面反撃。

女神と御使い様の名を利用して『長年の友好国に攻め込む』ということを正当化し兵士の士気を鼓舞していたというのに、こうなっては、組織的な戦力としては無力化されたも同然。

ならば、どうするか……。

「脱出だ！　何、一度やったのだ、それをもう一度繰り返すだけのことだ。ルエダ聖国から持ち出した財貨の大半は、まだそのまま残っておる。それらを馬車に積んで、東方、大陸の中心部方向へと逃げ延び、そこでまたやり直せば済むことだ！　……但し……」

「おう。あの悪魔だけは潰し、復讐せねばな。奴さえいなくなれば、セレスティーヌ様も以前のように人間のことにはあまり口出しされず、ごく稀に危険をお知らせ下さるだけになるであろうからな……」

元ルエダ聖国の神官達、現在は第二王子に取り入っている『自称・旅の高位神官達』は、そのような楽観的なことを考えていた。

いや、確かに事実としては、女神セレスティーヌはルエダ聖国の者達に直接神罰を与えてはいない。ただ過去の事実を喋《しゃべ》り、何もせずに去っただけである。神器を誤った使い方をしてしまった教皇を、少し叱責しただけで……。

考えようによっては、それは『女神は人間達のことにはいちいち干渉せず、余計な手出しはしない』と取れなくもない。

全ては、女神が去った後に自分勝手な解釈をゴリ押しした、あの、女神に気紛れでちょっと恩恵を与えられただけの、小娘のせいである。ルエダ聖国が崩壊したのは、全て、あの小娘の悪意あるデマが原因なのである、と……。

あの時のルエダ聖国の代表者達は、帰国後も魂が抜けたような状態であり、しばらくはまともな報告ができるような状態ではなかった。そのため、情報が得られたのは数日経《た》った後であり、それも欠落や誇張の多いあやふやなものとなり、後に他の者達によってもたらされた情報との矛盾やら何やらで、神官達の多くは不正確な情報しか得ていなかった。

だからこそ、その混乱の中で、危機察知能力が高い一部の者達が脱出する余地が生じたわけであるが……。

女神降臨の場に立ち会っておらず、伝聞により歪《ゆが》んだ不正確な情報しか得ていない者達。そして更にそれを自分達にとって都合の良いように解釈した者達。

彼らの、最後の陰謀が進められようとしていた……。

＊　＊

「お待ちしておりました、御使い様！」

「うげっ！」

王都の手前にある街まで来たら、宿屋の前で嫌なのが待ち構えていた。

……そうだよ、アイツだよ！

「増えるなんて王子……」

「フェルナンです！」

まぁ、増えられちゃ堪《たま》らないか。増殖するのは、私だけで充分だ。

とにかく……。

「私は、喧嘩を売ってきた奴を潰しに来ただけなんで、余計なことをするつもりはないし、されるつもりもありませんよ！」

そうはっきりと断言したのに、堪《こた》えた様子もないフェルナン。

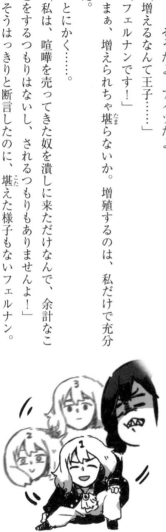

　一応は王子殿下だから口頭で呼び捨てにするわけにはいかないけれど、こんな奴、心の中では呼び捨てで充分だ。


　両国の軍隊を少し引き離し、フランセットと私、そして後方からロランドが差し向けてきた護衛の騎士4人の、計6騎だけで進んできたら、王都の手前の街で、待ち伏せされていたわけだ。フェルナン、アランさん、そしてお店とバルモア王国の王都グルアで1回ずつ会った、ファー、いや、確かファビオとかいう取り巻き達と、その他大勢に。そして街から少し離れたところに、引き連れた本隊が待機しているらしい。

　やはり、電撃作戦で王宮と有力貴族を押さえられ、第一王子が行方不明となった状態では表立って第二王子と対立するわけにはいかず、やむなく従っていただけの者が大半だったのであろう。

　そりゃ、国王と第一王子がいなければ、第二王子が正統後継者だ。それに逆らえば、簒奪を狙う反乱分子として国賊扱い、一族郎党皆殺し、とかになりかねない。特に、自分の足元が脆弱《ぜいじゃく》であると自覚している、小心で残虐で愚かな者が支配者である場合は。

　だから、皆、おとなしく従っていただけなのだろう。……『その時』が来るまで。

　これが、第一王子が死んだ、ということであれば、話も違っていたかもしれない。全てを諦めて第二王子に従うか、国のために汚名を被るのを承知で反乱を起こすか……。

　しかし、第一王子が健在ならば、刻《とき》を待てばよい。

その時には、正義は我にあり。何の心配もなく、簒奪者にして国賊、そしておそらくは父殺しの大罪人と、国に巣くう寄生虫、奸臣共を一掃する。

そして今がその時、というわけだ。

おそらく、本格的な戦い、つまり内乱になることはないだろう。

皆、『逆らえば殺される』ということと、大義名分がないため動けなかっただけだ。

この点は、最初に国王と自分より継承順位が上の者を消し、有力者達が相談して対処する時間を与えることなく分断するという作戦を実行した第二王子の手腕が優れていたわけであるが、おそらくそれは他者の入れ知恵であり、第二王子自身に優れた才覚があるというわけではあるまい。

そして、第一王子を殺すことに失敗し取り逃がした時点で、砂上の楼閣《ろうかく》は既に崩壊し始めていたのであろう。

だからこそ、友好国に攻め入るという暴挙で軍部や商人、武闘派の貴族達を取り込もうとしたり、国民の不満を逸らそうとしたのであろう。

あるいは、第一王子がバルモア王国に亡命し、バルモア王国軍による王位奪還を企むのではないかと危惧したのかもしれない。

確かに、その可能性はあっただろう。

王位正統後継者である第一王子の要請を受け、簒奪者を誅《ちゅう》するために。そして正義を示し人々を救うため、友好国であるブランコット王国のために立ち上がる。

それは他国に攻め入るには充分な大義名分であり、それによって第一王子に、そしてブランコット王国に、どれだけ大きな貸しが作れることか……。

そしてその時、貴族や国軍が、果たして両王子のどちらにつくか。

……それは、危機感に苛《さいな》まれても仕方ない。

そして事実、それが今、現実となっているのだから……。

「カオル、この街で休んで後続の両国軍が追いつくのを待って、我々が集めた兵力と合流して一気に王都を……」

「落としませんよ？」

「え……」

どうして自分の国の王都に攻撃をしたがるのか！　馬鹿じゃないの！

……って、馬鹿だったか。

それに、この馴れ馴れしい態度から考えて、どうやらこの男は、私を『あの時のカオル』、つまりこの国の王都の食堂で働いていたカオルだと思っているらしい。

……バルモア王国の王都で会った『アルファ・カオル・ナガセ』と、この国の食堂で働いていた『ミルファ・カオル・ナガセ』が同一人物だと勝手に決めつけているわけだ。ちゃんと、ふたりは別人だということになっているのに……。

う～む……。

「ところで、なぜあなたはそんなに馴れ馴れしい態度で私の名を呼び捨てにされるのですか？　確か、我が国の王都グルアで一度、ほんの数分間お会いしただけですよね？　そしてあなたは他国の女性には全てそのように馴れ馴れしい態度を取られるのですか？

最初は『御使い様』とか言っていたくせに、次の瞬間には、『カオル』と名を呼び捨てですか。これでは、第二王子があなたを国王として不適格だとお考えになったのも無理ありませんねぇ……」

「なっ！　な、何を……」

眼を見開いて、愕然《がくぜん》とした顔のフェルナン。周りの者達も、呆然《ぼうぜん》としている。

うん、これくらいのカウンターは喰らわしてもいいだろう。でないと、際限なく調子に乗りそうだからね、この男は。

「不愉快です。あなた方とは一緒に行動したくありませんので、側に近寄らないでください。触れられると妊娠してしまいそうですから」

「な、ななな……」

うん、これで良し！

元々、軍同士を激突させたり、王都を包囲したりするつもりはない。他国人同士であろうが同国人同士であろうが、意味のない戦いで殺し合わせる必要はないだろう。

軍人や貴族としては、華々しく戦って敵を打ち破り、正義の使者として王都を解放、とかをやりたいのかもしれないけれど、それで無駄に死んだ者はどうなる。それも、正義側としてならばまだしも、敵側、悪い方として死んだ兵士やその妻子、家族達の立場と将来は……。

うん、こいつらを『正義の味方』、『女神の軍隊』として王都へ入城させたりするもんか。

そのために、既に手は打ってある。

準備の時間を稼ぐため、私達はわざとゆっくり進んできた。それでも輜重部隊を引き連れた軍隊よりは速く進んだため若干引き離してはいるけれど、連絡のための軽装騎馬兵が後方の部隊と私達の間を行き来するには大した支障があるわけではない。

なので、前哨部隊の後方に続く本隊を率いたロランドから4人の護衛騎士……例の、神剣を授けた近衛騎士、『四壁《しへき》』……が派遣されてきたり、ブランコット王国軍に指示を出したりと、色々なことをやっておいたのである。

そして、私がブランコット王国軍に出した指示。

『騎馬兵の中から、見栄えが良くて口が達者な者達を選び、王都へ先行させよ。そして、貴族、軍人、平民の別を問わず、全ての者達に噂を広めさせよ。女神は親殺しの簒奪者及びその味方をする者達を許さない。そのための使者を遣わす、と……』

そう、私に刃向かう者は全て女神の敵であり、神罰を受けるぞ、というわけだ。

4年ちょい前に隣国で起きた事件のことを知らない者などいない。これで、私の入城を阻止しようとする者が、果たして何人いることか……。

もしいたとすれば、それは神をも恐れぬ邪教徒、というわけだ。……つまり、レイエットちゃんを襲わせた連中の一味であり、私の敵だ。とても分かりやすい。

なので、戦って相手を殺し手柄と名声を、なんて考えている兵士は必要ない。そんな連中、勝手に殺し合いを始めそうで、危なくて仕方がないし、私がせっかく話し合いで収めようとしているのに、功名心に逸《はや》って台無しにされかねない。

……だから、パス！

第二王子が国王を殺した証拠があるのか？

いや、私は『親殺しの簒奪者及びその味方をする者達は許さない』と言っただけで、別に第二王子が親殺しだとか簒奪者だとか言ったわけじゃない。ただ、親殺しをする者も簒奪を行う者も許さない、と言っただけだ。……普通、許されないよね、その両者は。

うん、私は、別におかしなこと、間違ったことは言っていない。うむうむ。

「ここに泊まったら、妊娠させられそうで怖いです。今日はこの街に泊まるのはやめて、もう少し先へ進んでから夜営しましょう」

「「「「は！」」」」

「な……」

息の合った返事をする、フランセットと四壁のみんな。

そして、さっさと馬を進める私達。

後に残されたフェルナン達は、出迎えに出ていた宿の人達や街の人達に恨めしそうな顔で睨まれていた。

そりゃそうか。後に、『御使い様が王都に入られる前に、最後の休息を取られた宿』とか、『御使い様が反攻の拠点とされた街』とかいう宣伝文句が使えるようになる機会をぶっ潰されたわけだから、そりゃ、恨みがましい眼で見られても仕方ないか。

ま、フェルナンより第二王子の方がマシ、ということになるほどじゃないから、構わないか。

最後にゆっくりお風呂にはいりたかったけど、まぁいいや。夜営でも、ベッドで寝られるから問題ない。

いよいよ明日は、本番だ。

殴られ、怪我をさせられたレイエットちゃんと孤児達の怨み。そして私を殺そうとしてくれた件。全部纏めてお返ししよう。もう二度と、私と、私の関係者に手出ししようなどと考える者が現れないように……。

第四十四章　最　期

翌朝、王都の街門を、何事もなく通過。

まぁ、私を止める門番はいないわなぁ。王都の門番や王宮の門番は、当然ながら私の顔は覚えさせられているはずだから。

あれだけ噂《うわさ》をバラ撒《ま》かせたのだから、当然第二王子派も私が来ることは知っているはず。

その後に続く軍のことは触れて廻らせたわけじゃないけど、当然それくらいは知っているだろう。向こうも、そこまで馬鹿じゃないだろうし、情報を集めていないわけがないだろうからね。

数百数千いる兵士達の内、カネで情報を流したり、裏で通じていたりする者がひとりもいないわけがないし。

しかし、街門で待ち構える敵側の兵士の姿もなく……。

「「「「ばんざ～い！　御使《みつか》い様、ばんざ～い!!」」」」

「うおっ！」

びっくりした！

……なんだよ、この『街中で、大歓迎』モードは！

宣伝、効きすぎ!!

これじゃあ、表立って私を捕まえることは難しいか。下手《へた》をすると、兵士と民衆との小競り合い……どころか、血みどろの戦いが始まってしまうわ！

まぁ、貴族も兵士達も、殆《ほとん》どが第二王子を見捨てて離反したらしいけど、利害関係が大きい者、もはや引き返すことができない者……国王の死に関わった者とか……は、最後のチャンスに賭けているだろう。

うん、私と、第一王子であるフェルナンが死ねば、事態が収束して、第二王子の天下となる。

今は貴族も軍も民衆も一斉に手の平返しの状態だけど、第二王子が唯一の王位正統後継者となれば、再び話が変わる。

となると、向こうが取るべき手段は……。

ひゅん！

ばしっ！

うん、暗殺だよねぇ。私と、第一王子、フェルナンの。

でも、それくらいのことは馬鹿でも分かる。

身体能力が人間を超えているフランセットは、筋力、体力だけではなく、勿論遠距離視力や動体視力、聴力や反射速度等もずば抜けている。なので、普通の兵士でも可能である『剣で矢を叩《たた》き落とす』とか、『投槍を斬り飛ばす』ということなど、容易《たやす》い。

勿論、『四壁《しへき》』のみんなも、それくらいのことはできるだろう。

それに、一応、私も鎖帷子《チェーンメイル》を着込んでいる。板金鎧《プレートアーマー》なんか着た日にゃ、重くて身動きもできないだろうけど、これくらいなら何とかなる。

しかもこれは、アレだ。……そう、『ポーション容器』として出したやつ。

だから、普通のものより軽くて動きやすいし、強度も高い。遠距離からの矢くらい、楽々食い止めてくれるはずだ。

強力な、大型の合成弓《コンポジット・ボウ》やクロスボウ、大型弩砲《バリスタ》とかで狙われたら？　頭部狙撃《ヘッド・ショット》を受けた場合は？

はは……。ははは……。

頼りにしてるよ、フランセット！

セレスが付けてくれているのかどうか分からない『自動防衛機構』なんか、当てにできない。

元神官の襲撃を受けた時のは、たまたまだった可能性は否定できないし、不確かなことに命を預けるほど馬鹿じゃない。なので、セレスの加護は、ないものとして考えよう。

飛んできた矢を叩き落としたフランセットが矢の飛来方向を睨《にら》んでいるけれど、遠距離からだし、矢を射ると共に姿を隠しただろうから、射手を見つけることはできなかったようだ。

まぁ、見つけたところで、追いかけても逃げ切られるだろう。どこかに隠れたり、素早く着替えたりして群衆の中に紛れ込まれれば終わりだし、そもそも、射手を視認できていないから追いかけようもない。別に、兵士の恰好をして矢を射なければならない理由はないから、最初から普通の民間人のような服装をしていただろうし。

そんなのを捜すために、５人しかいない護衛兵力を割《さ》くなどというのは、愚の骨頂だ。

……というか、そうして私から護衛を引き剝がすのが目的、ということも考えられる。何せ、私自身には戦闘能力は皆無、と思われているだろうからなぁ。

あの、アリゴ帝国西方侵攻軍との戦いにおけるアレは、『女神のお怒り』、『女神の神罰』ということになっていて、御使い様に仇《あだ》なす者達に女神が、という話で伝わっている。だから、私自身には治療薬《ポーション》を作る能力しかない、というのが、意図的に広められた噂である。

うん、爆発ポーションのことは、なかったことになっているんだ。あれは全部、女神が直接やった、ってことで。

いや、それでも、正気ならばそんなヤバい奴《やつ》に手出ししようとは思わないよねぇ、普通は……。

ま、普通じゃないから、こんな馬鹿なことをしでかしたわけだろうけど。

もし私がいなかったとしても、結局最後にはフェルナンが兵を挙げて王都を包囲するとか、他国に派兵を要請するとか、誰かが国のために身を捨てて第二王子を暗殺するとか、何らかの手段で早期に排除されただろう。第一王子であるフェルナンの殺害に失敗して取り逃がした時点で、既に『詰み』だったわけだ。

私は、ほんの少しそれを早め、無駄に失われる命をほんの少し減らす。ただ、それだけのことだ。

これが、第二王子にもっと人望があり、第一王子と拮抗《きっこう》するだけの支持層があったなら話も違ったかもしれないけれど、今更それを言っても仕方ない。

さて、そろそろ王宮到着。

ここには、昔一回来たことがある。

そう、パーティーの招待状を押し付けられて、男爵家で徴発《バクっ》したドレスを着て訪問、中ですぐにメイド服に着替えて、色々とあった、あの時だ。

……でも、今回は、なぜか門番がいない。

もしかすると、『門番の任務として、私を通すわけにはいかない。でも、通さないと神罰が』ということで、一時的に職場放棄……、いやいや、トイレにでも行っているんだろう、多分。生理現象は、仕方ないよね！

というわけで、６人揃《そろ》ってそのまま通過。

……しかし、本当に、完全に見限られたらしいねぇ。門番にまで見捨てられるって、相当……。

いや、でも、考えてみれば当たり前か。

正統な王位継承者である第一王子が軍を引き連れて王都へ向かっている。

貴族や軍の大半は第一王子側についた。

商人や一般民衆は、全て第一王子を支持。

神殿も第一王子を支持。

第二王子を支持しているのは、一部の評判の悪い貴族、悪徳商人、そして素性の怪しい余所者の神官数名。

そしてそこに流された、『親殺しの簒奪者』、『女神の怒り』、『御使い様の来訪』の、噂話のトリプルコンボ。そりゃ、これで第二王子を支持する人って、一周回って、尊敬するわ……。

そして、すたすたと歩いて、どんどん奥の方へ。

考えてみれば、ここに来たことがあるの、この6人の中では私だけだ。

そして勿論、私は更衣室とパーティー会場にしか行ったことがない。

でも、なぜかみんなが迷うことなく歩いているから、それについていってるんだよね……。

みんなは自国の王宮には詳しいから、他国の王宮も大体の造りが分かるのかな。

ま、黙ってついていくしかないんだけどね……。


「ここです」

いや、フランセット、『ここです』って言われても……。

国王（笑）がどこにいるか、どうして分かるんだよ。執務室にいるか、寝室にいるか、会議室にいるか、食堂にいるか、分かんないでしょ？

で、ここは……。

「謁見の間です。追い詰められた国王が弾劾者《だんがいしゃ》を迎えるのは、ここしかありません」

……それ、どこかの芝居か吟遊詩人の歌にでもあったの？

まぁ、どうせ片っ端から調べるなら、どこから始めても同じか。とりあえず、ここから……。

……。

…………。

……………いたよ、オイ！

というわけで、扉を開いたら、いた。

一番奥に、王冠かぶって玉座に座った、王様というか、第二王子というか、ま、その人らしき若いのが。

その後ろに、神官ぽいのが数人。

そして勿論、その前方には護衛の兵士達。逃げられなかったのか、何か事情があるのか、それとも本当に『国王に対する忠誠心』で残ったのか……。

襲い掛かってくるなら、倒すしかない。いくら何でも、ここで不殺に拘《こだわ》る程のお人好しでも馬鹿でもない。

そして、国王の護衛ならば手練《てだ》れ揃いだろうけど、さすがに神剣を持ったフランセットと四壁相手に勝てるはずもないだろう。ま、死なずに重傷程度で済めばラッキー、ということで。

「おお、やっと来たか！　歓迎するぞ、御使い殿！」

そして、第二王子ギスランからのあまりにも予想外の言葉に、耳を疑った。

「はぁ？」

そして、ぽかんとした私に、更なる追撃が。

「バルモア王国軍を率いて、我が傘下にと馳《は》せ参じてくれたこと、感謝する。褒美として、バルモア王国に勝利した暁《あかつき》には、我が妃として迎えよう！」

……絶望のあまり、気の毒なことになってしまったか……。

しかし、神官ぽいのと護衛の兵士達は、まともらしい。皆、緊張のせいか、蒼い顔をしている。

そして兵士達は武器の柄を強く握り締めている様子。

第二王子はともかく、その他の観客達のために、予定通りに進行させるか……。

「第二王子、ギスラン殿下……」

「いや、今は国王だ。陛下、もしくはギスラン様と呼んでくれ」

「…………」

気の毒な人相手は、どうもやりにくい。

しかし、予定通り進めるしかないか……。

「父王を殺害し、王位を簒奪《さんだつ》せんとして兄をも殺害しようとし、更には簒奪行為から世間の目を逸らすために、条約を破り友好国であるバルモア王国に一方的に攻め入ろうとしたこと、明白です。なぜこのようなことをなさいました？」

私の言葉に、え、という顔をした第二王子、ギスラン。

「何を今更……。兄、フェルナンは御使いカオル殿に無礼な行いをし、敵対した者。ならば廃嫡し、私が王位を継ぐのが当たり前であろう」

ふぅん、父王殺害や兄の殺害未遂については、否定しないんだ……。

そして、フェルナンは私のことを『御使い様』と言っていたけれど、コイツは『御使い殿』か。

いや、脳内翻訳機が、そこまで日本語的に正確なニュアンスを伝えているのかどうかは分からないけれど、あくまでも自分の方が御使いより上位、と考えているのは何となく分かる。

まぁ、そもそも『褒美として、我が妃として迎えよう！』だからねぇ。どれだけ自分に価値があると思っているのか……。そんなの、私にとっては、ただの罰ゲームだよ……。

「でも、第一王子は確かに私を不愉快にさせましたけれど、あなたは私が滞在しているバルモア王国に対して戦争を仕掛けましたよね、一方的に条約を破って。これは私に対する宣戦布告であり、第一王子の不愉快な言動など問題にならないくらいの、女神に対する敵対行為ですよ」

「え……」

きょとんとした顔の、第二王子。……いや、今はもう王子じゃないか。

でも、国王と言うのも業腹だから、ただの『ギスラン』でいいか。

「カオル殿は、バルモア王国を見限り、出奔したのでは……」

あ、やっぱりそう考えていたか。

「いえ、少し旅に出ていただけですが？　私が楽しむための、諸国漫遊の旅、というやつに。

バルモア王国には、今もちゃんと私の持ち家がありますよ。……誰かに騙されたのでは？」

「なっ！」

驚愕《きょうがく》に眼を見開き、ばっ、と振り返って後方に控えている神官達の方を向いたギスラン。

「は、話が違うではないか！　お、お前達が……」

うん、あいつらが、元凶であるルエダの残党か。

……いや、この部屋へ入った瞬間から分かっていたけど。

しかし、おかしいなぁ。追い詰められたはずなのに、妙に余裕があるな、神官達……。

確かに、ギスランや神官達と私達の間には、大勢の近衛兵達がいる。王族を護るのが任務の近衛兵なのだから、当然、腕利き揃いだ。それに対して、こちらは物理的な戦闘力ほぼゼロの私を入れても、たった6人だ。

でも、知らないとは思えない。

鬼神フランと、神剣を賜りし4人の近衛兵、『四壁』のことを。

そして、私の『物理的ではない戦闘力』についても……。

フランセット達がフォーメーションを変え、私の糾弾用に前を開けていた陣形から、私を取り囲む陣形へと移行した。敵の攻撃から私を護ることが第一優先だから、当たり前か。

それに、わざわざ自分から敵のところへ行かなくても、私の前にいれば向こうから来てくれるから、追い回す必要がなくて効率がいいだろうからね。

亀の頭と手足みたいな配置になって、頭の部分、つまり陣形の先頭は、勿論フランセット。そして私は甲羅の中心に位置している。これで近付く敵を薙《な》ぎ倒し、敵側の兵士を全部片付けてからギスランと神官達を捕まえて縛り上げる、というわけだ。神剣を持ったこの5人なら、それくらいは危なげなく実行できるだろう。

剣を振るうためのスペースが必要なので、みんなの間隔は割と広い。でも、その間を突破して私に危害を及ぼすことを許すような連中じゃないから、心配はない。

そして、私はフランセットの後に続き、一直線に敷かれた絨毯《じゅうたん》の上を歩き、ギスランに近付いて……。

がこん！

……落ちた。

「痛《いて》え！」

突然床が抜け、４メートルくらい下まで落ちた。

一応は足から落ちたけど、足首と膝だけでは衝撃を吸収しきれずに、そのまま尻餅をついたから、尾てい骨を強打したよ、くそ！

足首も捻《ひね》ったし、膝もちょっとやっちゃったかも……。ま、ポーションで治るから問題ないけど。

……しかし、落とし穴たぁ、古典的だな、オイ！

フランセットが歩いた時には何ともなかったということは、フランセットが通ったあとで安全装置か何か、支え棒的なものを解除したのか……。

でも、この程度の落とし穴じゃ、せいぜい足首を捻挫する程度だ。本気で殺す気であれば、底に毒を塗った杭とかを植えておくものだよね、普通は。

それに、中には水が少し溜まっているのと、葉を付けたままの枯れた木の枝、藁《わら》や干し草とかが敷かれていて、それがクッションになったらしい。

怪我をさせないようにとの配慮かな？

……とか考えていたら……。

ぼぅん！

「ぎゃあああああ！　あ、熱《あつ》、熱いいいいいぃ!!」

突然、炎に包まれた！

下に溜まってるの、水じゃなくて、油アアアァ！

木の枝や藁、枯れ草等は、クッションじゃなくて、油を一気に燃え上がらせるための可燃物ウウウウゥ!!

「しょ、消火ざ……」

焦って消火剤を創り出そうとした時、周りに影が差した。

反射的に、上を向くと……。

「あ」

自分に向かって落ちてくる、この穴の大きさにぴったりの、丸くて大きな岩らしきものが見えた。

もし、時間があれば。

ほんの数秒の時間があれば、何かいい案が浮かんだかもしれなかった。

超合金製の、岩を支えられる強固な檻《おり》型のポーション容器。

その他、何らかの案が浮かんだ可能性は、ゼロではなかったかもしれない。

しかし、4メートルそこそこの高さを岩が落ちるのには、1秒も要しなかった。

激しく動転している中で、火を消すことに意識が向いていた時の、急な出来事に対して、僅か1秒未満。

何かを考え、ポーションの容器として創造するには、それはあまりにも短すぎる時間であった。

そして……。


「やった！　遂に神敵を潰したぞ！　文字通り、ぐちゃぐちゃの、ペタンコにな！」

「ふははははは！　4年半前に仲間のひとりが襲撃した時には、ナイフの刃が通らず失敗したらしいが、炎で外側から焼かれ、熱風を吸い込んで胸を内側から焼かれ、大岩で潰されたのでは、いくら防刃着を身に着けていようが、どうしようもあるまい！　そして炎の中では息をすることもできん！　骨まで燃え尽きて、灰になるがよい!!」

今まで目立たぬようにおとなしくしていた神官達が、浮かれて叫びまくっていた。

「ちゃんと空気穴を開けてあるからな、油が燃え尽きるまで、炎が消えることはない。ま、岩が落ちた時点で、既に死んでいるだろうがな。は〜っはっはっは！」

「え……」

愕然とする、フランセットと四壁。

……しかし、どうしようもなかった。

四角い穴にすっぽりと嵌まった丸い岩。四隅に少し隙間があるが、人が入れるようなものではないし、たとえ穴に降りたとしても、巨大な岩を穴から取り出すことなどできるはずもない。しかも、下から炎が吹き上がっているというのに……。

「ははは、穴の壁に目盛りが刻んであるだろう？　あの目盛りから計算すると、岩の下の隙間はほんの数センチ、木切れや藁が挟まっている程度の隙間しかありはしないのだ。……つまり、お前達の大切な『御使い様』こと、悪魔の手先は、完全にぺったんこ、というわけだ。

我ら、真の女神のしもべ達に対して、愚かな真似をするから、神罰が下ったのだ。

第一王子を担ぎ出して国の支配権を奪おうとした反逆者共よ、残念だったたな！　は〜っはっは！」

「…………」

「「…………」」

「「「「…………………」」」」

ぎり

ぎりり

ぎりりりりり……

血が出る程強く歯を食いしばった、フランセットと４人の男達。

「き、貴様ら……」

眼が、完全に理性を失っていた。

「殺す……。殺す……。死ねえええええぇぇっっ!!」

ガシャァァン！

フランセットが剣を振りかぶって突入する寸前、神官達は背後の隠し通路に飛び込み、何かを操作したらしくその通路の入り口に上から太い鉄製の格子が落ちてきた。そしてその先端部が床面に嚙《か》み込み、カシャン、という、ロックされたかのような音がした。

「鋼の棒じゃ。完全に固定されておるから、抜けやせんぞ。退路を確保しておくのは、兵法の基本であろう？　まぁ、騎士が聖職者に兵法を説かれたくはないかもしれんがな。では、さらばじゃ！　は〜っはっは、うわぁ〜っはっはァ!!」

この抜け道が、どこに繋がっているのかは分からない。

そして、先程からフードで顔を隠しているこの連中が、どこかで平民の衣服に着替えて逃げれば。

既に財産は持ち出しているだろうから、そのまま悠々と他国へと……。

……だが、それは、ここにいるのが普通の騎士であった場合の話であった。


きぃん！

ごとり

鋼の棒は、あっさりと切断された。

当たり前である。フランセットが持っている愛剣が、何だと思っていたのであろうか。

……神剣。

それは、決して人心掌握のために流布された作り話でも、尾ひれが付いて拡大したデマでもなかった。

神剣は、実在した。

今、ここに……。


「うあああああぁ〜〜‼」

四壁が隠し通路に駆け込んで神官達を捕らえている間に、フランセットはその怒りと憎しみの全てを叩き付けていた。……敵の近衛兵達に対して。

神官達に4人、近衛兵達にひとり。

……戦力配分のバランスがおかしい？

そんなことを考える者など、バルモア王国の兵士達の中にはいない。

その『ひとり』が、あの、鬼神フランであったなら……。

鬼神。悪鬼羅刹《あっきらせつ》。魔王。どんな言葉でも表せない、怒り狂った『それ』。

暴力と死。

血と肉片。

熱したナイフでバターを切るかのように、簡単に両断される敵兵の剣や防具、大理石の柱、……そして、人の身体。

「ひぃいいいぃいっ！」

玉座の上に乗っかっている肉塊が、何やら不愉快な音を出している。

しかし、フランセットにとって、そんなものは後回しであった。……逃げる様子がないので。

誰ひとり、そして何ひとつ、逃がさない。

自分から女神を奪った者を。

女神に対して不敬を働いた者達を。

フランセットは、カオルが死んだなどとは欠片《かけら》も思っていなかった。

当たり前である。カオルは、女神なのだから。

しかし、現在の肉体が傷付き、滅びたならば、今回の休暇は終わりとして自分の世界へ帰ってしまう。そう思っていたため、必死でカオルを護ろうとしていたのに、馬鹿共のせいで全ては台無しとなってしまった。

もはや、自分が生きて再びカオルに会えることはあるまい。

馬鹿共のせいで。

愚か者共のせいで。

他の兵士や近衛達は、カオルを敵に回すことを拒否して姿を消していた。

しかし、コイツらは第二王子の味方をしてここに留まり、自分達の邪魔をした。そしてそのために、カオルがこの世界を去ることになった。

ならば、コイツらに与えるべきものは……。

「……死ね！」

そう、『死』しかなかった。

上官の命令に従っただけ？

妻も子もいる？

……知ったことか！

死ね死ね死ね死ね死ね死ね死ね死ね……。

止める者もおらず、死と狂気を振りまきつつ踊るフランセット。

そしてカオル達の時と同じく、止める者も立ちはだかる者もいなかったためあっさりと王宮へ、そして謁見の間へと辿《たど》り着いた第一王子フェルナンの一行が目にしたのは、息のある者などひとりもいない近衛の死体の山、四壁によって半殺しにされて転がっているルエダの元神官達、玉座の上で泣きながら蹲《うずくま》っている第二王子ギスラン、そして血糊《ちのり》ひとつ付いていない神剣エクスグラムを手にし、立ち尽くしているフランセットの姿であった……。


「カオルは、カオルはどこだ！」

「「「「…………」」」」


フェルナンの問いに、誰も答えない。

今の状況から、カオル達の圧勝であったことははっきりと分かる。

なのに、なぜカオルの姿がないのか。そして、フェルナンの問いに、なぜ誰も、何も答えないのか……。

嫌な予感が胸に広がるフェルナン。

フェルナンは、先程から自分の視界内にある明らかに異質なものについては、あえて言及しなかった。もしそれを聞いてしまうと、取り返しのつかないことになってしまいそうな気がして……。

そう、謁見の間の入り口から玉座に向かう通路のど真ん中にある穴と、そこから立ち上る煙と熱気という、絶対にこの場所にあるはずのない異物について……。

そしてその時、フェルナンとフランセットの丁度真ん中あたりの場所の空中に光の玉が出現し、それが急速に膨らみ、人の形をとった。

それは、フランセットが二度、四壁達は一度だけ目にしたことのある、アレであった。

……そう、女神セレスティーヌの降臨である。

「カオルちゃんの魂の反応が消失しました！　カオルちゃんは、カオルちゃんはどこですかっ！」

セレスティーヌは、カオルに自動発動式のバリアと、攻撃者に対する自動反撃システムを設定していた。但しそれは、『不意打ちや遠距離からの狙撃に備えたもの』であった。

剣、槍、弓矢、その他の武器による突然の攻撃からカオルを護るためのもの。

これが、もし地球であったなら、セレスティーヌは銃や手榴弾、ロケットランチャー、もしかすると大口径の砲弾や燃料気化爆弾、地中貫通爆弾《バンカーバスター》、いや、それどころか、核爆弾からも身を護れるような手段を講じていたかもしれない。

しかし、この世界には、そのようなものは存在しない。なのでセレスティーヌは、『この世界における奇襲攻撃』からカオルを護れるだけの対処を整えていたのである。必要もないのに核爆弾用の対処を講じるようなことはなく……。

即死ではなく、数秒の時間さえあれば、カオルはポーション（及び、その容器）の作製能力によって敵を排除でき、自分や味方の負傷はすぐに治せる。また、カオルは生きたまま捕らえてこそ利用価値があり、問答無用で殺す意味がない。セレスティーヌはそう考え、カオルの危険を過少に見積もっていたのである。

そしてルエダの残党である神官達は、4年半前の、元神官による短剣でのカオル襲撃事件のことを詳しく調べたのか、カオルが何らかの手段で短剣を防いだことを知り、いくら短剣や弓矢での攻撃を防げてもどうにもならないように、二重、三重の攻撃を一挙に行ったわけである。

外側からの火攻め。熱風を吸い込むことによる肺の損傷。酸素欠乏による窒息。そして、大岩による圧死。

カオルのことを、女神ではなくセレスティーヌに少々加護を与えられただけの普通の人間であると考えている神官達は、それで確実にカオルを殺せると考え、そして事実、その通りとなったのである。

女神セレスティーヌの焦ったような言葉に、四壁のひとりが、黙って指差した。

……そう、『穴』を。

「え……」

こんなところにあるはずのない、『穴』。

しかし、セレスティーヌにとっては別に驚いたり不思議に思ったりすべきものではなかったらしく、先程から完全にスルーしていたのであるが、慌てて何やら穴の方を注視し……。

「ない……。カオルちゃんの魂も意識体も、全く反応がない……。探索範囲を拡大しても、どこにも反応がない……。

あああ、最低でも400～500年、できれば4000～5000年くらいは引っ張りたいと思っていたのに、たった5年足らず！　5年足らずで消滅ですってぇ！」

人間の魂と意識体は、肉体が滅びるとすぐに霧散し、消滅してしまう。たまたまその場にセレスティーヌ達のような存在がいてすぐに保護するか、前もって死を予測し保護のための準備を整えておいた場合を除き……。

カオルの肉体が一瞬のうちに滅びることなど予想もしていなかったセレスティーヌは、事態に気付くのが遅れた。そう、カオルの魂と精神体の消滅に気付いた時には、既に遅かったのであった。

「あの人から託された、大事なカオルちゃんを……。私の大恩人にして、初めてのお友達を……。許さん！　許さんぞおおおぉっっ!!

この国を……、いや、この大陸を破壊し尽くし、燃やし尽くし、永遠に海の底へと沈めてやる！

再び私の目に触れて、この不愉快な感情を思い出すことのないように……」

硬直。そして、恐怖と絶望。

ブランコット王国どころか、大陸全ての国々が。大陸に住む全ての人間、全ての生物が滅ぶ。

今、女神の口からその死刑執行が宣言されたのである。

覆されることのない、死の宣告。

『絶望』以外に、この場にいる者達の心情を表せる言葉はなかった。

セレスティーヌの本体、いや、そこまでいかなくとも、セレスティーヌよりほんの少しレベルを高く設定された分身体であったなら、ここまで激しい怒りを表すことはなかったであろう。

しかし、残念にもこの世界の人間達と意思の疎通が可能なように極限まで思考レベルを落としてあるセレスティーヌは、下等生物特有の悪しき感情、『怒り』と『憎しみ』を持っていた。ほんの僅かではあるが……。

そして今、その『僅かしかないはずの、悪しき感情』が、猛威を振るって荒れ狂っていた。

もはや、どうしようもなかった……。


「お待ち下さい！」

しかし、セレスティーヌの身体から噴き出す、実体を伴っているかの如き威圧の波動で他の者達が誰も身動きすらできない中、無謀にもセレスティーヌを止めようとする者がいた。

「あなたは、確か……」

「はい、カオル様の守護騎士である、フランセットです！」

セレスティーヌは、フランセットをじろりと睨《ね》めつけた。

「あの、歪《ゆが》みの時に色々と偉そうなことをのたまってくれた……」

「うっ！」

どうやら、あの時はカオルの手前素直に聞いていたが、やはり不愉快だったのか、かなり根に持っていたようである。

「で、カオルちゃんを護ることもできなかったくせに、恥ずかしげもなく『守護騎士』を名乗る下《ゲ》衆《ス》が、今度はどんな面白い説教を聞かせてくれるのかしら？」

（（（（怒ってるうううぅ～～!!））））

恐怖に震える四壁とフェルナン達であるが、どうせ大陸壊滅は決まっているのである。どうなろうが、これ以上事態が悪化することはない。……セレスティーヌが、この大陸だけでなく、全世界を滅ぼす、とか言い出さない限り。

そしてさすがに、女神として、そこまでやるとは思えなかった。いくら怒り狂っていたとしても……。

なので皆、フランセットを止めようとはしなかった。

カオルの信奉者同士、そして怒り狂って我を忘れている者同士で、もしかすると話が通じるかもしれない。その可能性は、ゼロではない。そんな微《かす》かな、一縷《いちる》の望みを抱いて……。

「カオル様は、それをお望みではありません！　カオル様は、自分達に敵対して危害を加えようとする者には容赦がありませんが、たとえ敵国の者であっても、罪のない者達には慈悲を賜《たまわ》れました。そのカオル様が、罪無き者達、そして自分と仲良しだった者達の死を望むとは、到底考えられません！　きっと、このことを知られた時、悲しまれます……。

　カオル様がここへ来られたのも、少しでも無駄に失われる命を減らそうとお考えになってのこと。それを無にし、それどころか、更に多くの命が失われることになれば、カオル様は……」

「うっ……」

　セレスティーヌが、フランセットの言葉に怯《ひる》んだ。

　自分自身は、下等生物のことなど殆ど気にしていない。しかし、カオルに対しては特別な思いがあるし、死した今となっても、自分の友達になってくれ、『あの人』の件では色々と力になってくれたカオルの思いを尊重したいという気持ちは変わらなかったのである。

　セレスティーヌは、カオルが死んだ、つまり完全に消滅したことを知っているが、フランセットは、カオルはただこの世界で使っていた仮の姿である肉体を失っただけであり、自分が管理する世界へ戻っただけだと思っている。そのため、一時的な怒りが収まった今は冷静であり、セレスティーヌに対して耐性がある自分が何とか説得せねばという義務感で、必死であった。

　何しろ、自分に、この大陸に住む全ての生物達の運命が掛かっているのであるから……。

「ここは、カオル様のお心を尊重して、何卒《なにとぞ》、御慈悲を……」

　そう言って跪《ひざまず》くフランセットに、他の者達も慌てて後に続いた。

「……分かりました。ここはカオルちゃんの思いを汲《く》んで、『カオルちゃんが原因で、大勢の人間が死ぬ』という事態になるのは避けましょう……」

セレスティーヌのその言葉を聞いて、フェルナン、四壁、そしてフランセットは喜びに震えた。

その感情を顔に表すことはなく、心の中だけであったが……。

自分達がここで死ぬことは、とっくに覚悟していた。今はただ、自国の国民や他国の者達に累が及ばないこと、それだけを願っていたのである。この事態の責任を取り死ぬのは、自分達だけにしてもらえれば、と……。

「ありがたき幸せ！　では、この場におります我らの命をもって、お怒りをお鎮めいただけますよう……」

そして、跪いた姿勢から、その場へ座り込む形へと体勢を変えたフランセット。他の者達も、それに続いた。おそらく、女神に命を奪われた後におかしな体勢で倒れ込むことを避け、綺麗な姿勢で絶命することを望んでのことであろう。

それに対して、セレスティーヌは……。

「愚か者めが！　カオルちゃんの意図に反する、カオルちゃんが悲しむ、などと言っておったその口で、カオルちゃんが最も信頼していたお前達を殺せと言うか。……馬鹿なのか？」

言われてみれば、その通りである。

己の馬鹿さ加減に呆《あき》れ果て、がっくりと肩を落とすフランセットであった……。

「もうよい！　元凶共は、お前達が全て処分せよ。取りこぼしは許さぬぞ！」

　そう言って、セレスティーヌは姿を消した。

　おそらくセレスティーヌは、カオルを失った今、この世界の個々のことに関して殆ど興味をなくしたのであろう。

　そしてまた、以前のように、人間達とはあまり関わらずに『歪み』に関する仕事のみを淡々と行うのであろう。カオルがこの世界に来る前のように……。


「「「「「…………」」」」」


　どんよりとした顔の、フランセット、四壁、そしてフェルナン一行。

　元ルエダの神官達は床に転がったまま呻《うめ》き、そしてギスランは玉座に座ったまま、助かった、助かったと呟いている。……全然助かってなどいないというのに……。

「……これを、この事実を、ロランド様に、そして陛下や国民達に知らせねばならぬのか。そして、エミールとベル、レイエット達に……。

……」

　いくら戦争で大勢の命が失われることを回避できたとはいえ、代償があまりにも大きすぎる……。

　四壁も、そしてフェルナンとその一行も、言葉をなくして、ただ項垂《うなだ》れるのみであった……。

＊　　＊

「死んだか……」

白い場所。

ここには、昔、一度来たことがある。

「お久し振りです」

そして姿を現した、白い衣服を着た青年。

そう、自称『神様のようなもの』、そしてその正体は、人類がミジンコ以下に思えるくらいの、高次生命体……らしい。

「恭子《きょうこ》はどうしていますか？」

「御健在です。かなりお年を召して、殆ど寝たきりのような状態ではありますが……」

同級生なのだから、年齢のことは分かっている。ここしばらく連絡していなかったのも、互いに殆どベッドから動けなかったからだ。特に自分は、点滴だとか酸素パイプだとかを繋《つな》がれていたし……。

そうか、私が先発か……。

「香《かおる》の方は、どういう状況ですか？」

そう尋ねると、その自称『神様のようなもの』が、突然頭を下げた。

「申し訳ありません！　長瀬《ながせ》香さんは、お亡くなりになりました……」

「え……」

そんな馬鹿な！

「どうして！　あの子には、あの世界の女神の加護があるって！　病気も怪我も老衰も、関係ないって！　どういうことですか!!」

問い詰め、説明を要求したところ、事情を詳しく教えてくれた。


「じゃあ、再度転生を、ということもできず、香はそのまま完全に消滅、つまり死亡した、と？」

「……はい。誠に申し訳なく……。ですので、礼子《れいこ》さんがあの世界に転生されるための目的は失われました。それで、もしよろしければ、お詫びと補塡のために、他のいくつかの世界の中からお好きなものを選んでいただき、そこに転生していただくことも可能ですが……」

「いえ、予定通り、香と同じ世界へ。それ以外の選択肢はありません」

「し、しかし、もう既に香さんは……」

「それでもです！」

私は、引かなかった。

「だって、私は久遠《くおん》礼子。長瀬香の親友なのだから！　たとえ離ればなれになってから何十年経っていようが。そして、香が既に死んでいようが。だから、私が行く世界はただひとつ。香が行った世界である、ヴェルニーのみです!!」

そう言って、私は凄絶な笑みを浮かべた。

私は、全く信じてはいなかった。あの長瀬香が、そう簡単に二度も死ぬなどということは。

そう、それが、たとえ神様からの言葉であったとしても。

＊　＊

「申し訳ありませんでしたあぁぁっっ!!」

どこで覚えたのか、いきなりジャパニーズ土下座をかましてきた、女神様。

まぁ、理由は分かっている。あの、地球を管理している神様モドキから全て聞いている。

「とりあえず、香が貰ったのと同じ条件の身体と、アイテムボックスと言語理解能力。これは基本装備ですよね？　そして特典のチート能力は、『あらゆる魔法が、無制限で使い放題』で！」

「ぎゃあああ！　とんでもなく図々しいのが来ましたああぁ!!」

第四十五章　帰　還

「図々しい？　香《かおる》をあっさりと見失っておきながら、捜そうともせずに放置しているあなたが、その代わりに捜索に来た私に、そしてそのために最低限絶対に必要な能力を求めた私に、そう言いますか？」

「うっ……、って、え？　捜しに？　カオルちゃんを？　でも、カオルちゃんは、魂も意識体も完全に消滅して……」

「それを決めるのは、あなたではありません。別に、アカシックレコードで確認したというわけじゃないんでしょう？」

「あ、はい、私くらいの低位存在には、アカシックレコードにアクセスすることはできませんから……。本体であれば、どうしても必要、という場合であれば閲覧が可能ですけど……。

なので、私に確認できるのは、この惑星上の、かなり限定された簡易的な記録《レコード》だけです」

地球の神様から聞いていた通りだ。

「ならば、可能性はあります。確率は、決してゼロじゃない」

「…………」

女神は、黙り込んだ。

「当時の状況と、分かっている限りの情報を教えていただけますか？」

「……わ、分かりました……」

特典については、うやむやのうちに何となく認めさせた……ということでいいのかな、これ。

よし。我が久遠《くおん》一族の、『諦めの悪さ』を見せてやる!!

＊　＊

「ここが異世界、『ヴェルニー』か。香がいる世界……」

そう、『カオルがいた世界』ではなく、『カオルがいる世界』だ。

私達は、決して諦めない。たとえ、どんなことがあっても……。

そして、向こうに見えるのが、ブランコット王国の王都、アラス。香が消えた場所……。

よし、まずは能力を試すか！

いきなり、ぶっつけ本番で魔法を使ったりすると、『悲しい出来事』が起きたりするからね。

まぁ、『魔法』とはいっても、実際には、科学的な方法でサポートされて発現する現象らしいけれどね。さすがに、魔法の精霊とかがいるわけじゃないらしい。

どんな方法でサポートしてくれているのかは分からないけれど、アレだ、アレ。『十分に発達した科学技術は、魔法と見分けがつかない』というやつ。

ま、深く考えるのはやめよう。

「ウォーター・ボール……」

おお、水の塊が！

よし、これで水筒を持ち運ぶ必要はなく、水が尽きて死ぬこともない！

「ファイアー・ボール……」

よし、これで凍えて死ぬこともなく、料理も簡単に！

次は……。

「黄昏《たそがれ》よりも昏《くら》きもの、血の流れより紅《あか》きもの……」


……うん、何もなかった！

向こうの方にある山は、元々大きく抉《えぐ》れていた！

多分そう。きっとそう。

よし、王都へ向けて、しゅっぱ～つ!!

＊　＊

街門で銀貨3枚を払って、無事、王都アラスへ。

この『銀貨3枚』というのは、大昔から変わっていないらしい。

そして、そのまま真っ直ぐ、王宮へ。

勿論、一般人が簡単に王宮に入れるわけがない。……ある一角を除いて。

そう、とある一角。……『聖地』である。

御使《みつか》い、カオル様。一部の者からは『異界の女神』とも呼ばれる……って、何やってんだか、あの子は……。

とにかく、香がバルモア王国とブランコット王国の戦争を防ぐためにその身を犠牲にし、天に召された場所。

香を押し潰したとされる大岩は、ピッタリと穴に嵌《は》まり込んでいたため持ち上げて取り除《の》けることができず、横に同じ大きさの穴を掘ってそちらに岩を転がす、という方法で退《ど》けたらしいのであるが、そこには原形を留めぬまでにボロボロに炭化した欠片《かけら》があるばかり……。

それらの炭化物は、『聖遺物』として大切に保管されているらしいが……。

その『聖地』へ至るルートだけは、道全体が強固な壁に囲まれて王宮の他の場所へは行けないようになっており、参拝者が行き来することができるのであった。

元謁見の間を含むその建物自体が今は神殿のような扱いをされており、隣接した場所に代わりとなる新たな建物が建設され、そこが謁見の間を含む新たな宮殿として使われているらしい。

一般の参拝者達に交じって、その『聖地』をじっくりと観察した私は、王宮を後にした。

勿論、宿を取り、食事をするためである。お仕事は、人々が寝静まってからだ。

＊　　＊

……そして、深夜。

こっそりと宿を出て、王宮へ。

さすがに、昼間は開放されている『聖地』への通路も、夜間は閉鎖されている。

しかし、魔法の前には、そんなことは何の意味もない。

「不可視フィールド！」

姿を消す魔法……実際には、可視光線を透過させるとか、空間湾曲とか、何らかの科学的なものであろうが……により、完全に見えなくなった私は、堂々と兵士達の前を通って通路を歩き、建物の中へ。

扉の鍵は解錠魔法で開け、少しだけ開けた扉の中へと、ささっと滑り込む。

そして無人の建物の中を、暗視魔法を使って進む。あの、『聖なる間』へと……。


「さて、と……」

警備兵は、建物の中にはいない。なので、少しくらいの独り言は問題ない。

まぁ、あれだけ外側を警備していれば充分だろうし、そもそも、『聖地』に盗みに入るような者がいるはずがない。ここは、『女神が実在する世界』なのだから。……それも、ムカついた人間に対しては、些《いささ》か厳しい女神が……。

地球の神様は、ここの女神であるセレスティーヌ様から報告を聞いただけ。それも、あまりにも落ち込みと焦燥が酷かったセレスティーヌ様はまともに報告できるような状態ではなく、セレスティーヌ様の途切れ途切れの話を、なんとか自分で再構成して状況を把握したらしい。

そして異世界の女神セレスティーヌ様は、どうやら、基本的には『陽当たりのよいお花畑に住んでいる人』らしかった。

セレスティーヌ様が言うには、香の魂と意識体の反応が完全に消滅、探査範囲を惑星全域に広げても反応なし。それをもって、香の完全消滅を確認、ということらしいが……。

それは、香との付き合いが高々5年弱くらいしかない者、つまり香に関しては『にわか』の者の判断だ。

あの香が、それくらいのことで、私達を残して死ぬわけがない。そう、前回のように……。

今回も、香は必ず待っている。私達を……。

話は、全て聞いた。

何度も繰り返し、細部に至るまで。

香が得た身体について。香が得た能力について。……そして、あの時の状況を全て、微に入り細を穿《うが》って。

その時、香なら。

香なら、どうするか。

そして、考え抜いた末に得た、結論。

最後に出し入れ口が開かれたのは、どこか。

一番出し入れ口に近いところにあるのは、最後に入れたものだと考えるのが妥当である。

ならば……。

「時空間振動魔法！　次元振動を起こして、他の者の精神波に同調した異次元収納庫《アイテムボックス》の扉を無理矢理引き裂いて、こじ開ける！　開け、次元の扉!!」


ぶぅん……

時空が震え、世界が歪《ゆが》む。そして、巨大な次元震が……。

「『歪み』の発生源は、ここですかあああぁっっ‼」

そして、必死の形相の女神が現れ……。

ぽんっ！

ひとりの少女が現れた。

年の頃は、12歳前後。（この世界準拠）

その少女は、凶悪なまでに目付きが悪かった。

そして、更に……。

「ぎゃああああああ！　あつ、あつ、熱いぃぃぃぃぃぃ〜〜‼」

そう、その少女は炎に包まれて、文字通りの『火だるま』となっていた。

「消火剤のポーション、出ろおおおぉ〜〜‼」

「超特大ウォーター・ボ〜〜ルっっ‼」

「きゃああああ！　み、みず、みずうううぅ〜〜‼」

どっぱ〜〜ん‼

そして目付きの悪い少女は、大量の水に押し流されて、どこかへと消えていったのであった……。

＊　＊

「か、かかか、カオルちゃんんんんん〜〜‼」

「必ず来てくれると思っていたよ、セレス！　そう信じていたから、他の対処を何も考える暇がなかったあの瞬間、コンマ数秒の時間で、迷わず、全く躊躇《ためら》うことなくアイテムボックスに退避することを選択できたんだからね。時間が停止していて、自分では二度と出ることが叶わない、アイテムボックスの中へ……」

そう、カオルのアイテムボックスには生物も収納できるということは、アリゴ帝国の侵略時に、井戸に飛び込んだベルを収納したことで実証済みであった。

そして、それを聞いて、カオルに抱きついて歓喜の叫びを上げていたセレスティーヌの頬に、たらりとひと筋の汗が流れた。

……汗をかくような身体構造ではないであろうが、おそらく、感情表現のためにそういう機能が備わっているのであろう……。

「も、ももも、勿論《もちろん》ですよっ！　わ、わわわ、私がカオルちゃんのことをそう簡単に諦めて、ほ、ほほほ、放置するなどということは……」

引《ひ》き攣《つ》った笑顔を浮かべたセレスティーヌの眼には、はっきりと映っていた。

カオルの後方に立つ少女が、ゆっくりと動かした口の動きが……。

『コ・ノ・カ・シ・ハ・オ・オ・キ・イ・デ・ス・ヨ……』

（ぎゃあああああ～～!!）


あのような常識外れの特典をずけずけと要求した、この図々しい少女に、とんでもない借りを作ってしまった……。

しかし、カオルに『実は、自分は簡単に諦めて放置していた。本当ならば、カオルは永久にアイテムボックスの中に居続けるはずだった』などということを知られるわけにはいかなかった。絶対に!!

なので、この『借り』がとても高いものにつきそうな気はしたものの、この場を誤魔化してくれるつもりらしい少女の厚意に縋《すが》るしかない、セレスティーヌであった。

「とりあえず、この、焼けてボロボロ、かつびしょ濡れの服を何とかしなきゃ……」

穴に落ちた時の怪我と、炎に包まれたことによる火傷《やけど》は、既にポーションで治してある。勿論、かなり燃えたり焦げたりしていた髪も修復済みである。

本当であれば、もっと酷《ひど》い火傷を負い、それだけで死にかけていてもおかしくはなかったのであるが、どうやらセレスティーヌがかけてくれていた自動防御機構《シールド》のおかげで、ちょっとした火傷程度で済んでいたらしい。

そしてここで、ようやくカオルはもうひとりの存在に気が付いた。

「……あれ……」

見覚えのある少女。

地球を去ってから5年弱であるが、もっと前、少なくとも10年以上は昔に思える、この『久々感』。

しかし、何年経《た》っていようとも、忘れるはずがない。

たったふたりしかいなかった、自分の親友。

その姿を、見間違えるはずがなかった。

「……礼《れい》……、子《こ》……、の、高校生バージョン……」

そう、それは、自分と同じく、15歳の時の身体となった久遠礼子。自分の、ふたりしかいなかった親友の、ひとりであった。

礼子は、カオルに較べて発育がいい。……特に、身体の特定部分の。

なので、カオルは礼子を『高校生バージョン』であると思ったが、実際には、カオルと同じく15歳になった時点での身体なので、中学生バージョンなのであった。

「……へへ、来ちゃった……」

「礼子おおおおぉ～～!!」

カオルと会えるということを信じていた、いや、会えると分かっていた礼子と違い、カオルにとっては突然のことである。絶叫して抱きついても、仕方ない。

そして、びしょ濡れのカオルに抱きつかれたため、同じくびしょ濡れになってしまった礼子。

「ふたりとも、積もる話はあるでしょうが、とりあえず場所を変えましょう。大勢の人間がやってきます」

「「あ……」」

さすがに、異状に気付いた衛兵達が駆け付けるであろう。何しろ、大量の水がこの建物からあふれ出たのであるから……。

「修復、洗浄、乾燥!」

セレスティーヌが、水流により破損した部分を修復し、汚れを落とし、乾燥させて、先程の痕跡《こんせき》を完全に消し去った。そのついでに、カオルの衣服もその恩恵に与《あずか》り、修復と洗浄、そして乾燥をしてもらった。勿論、カオルの巻き添えでびしょ濡れになった礼子の服も乾かしてもらっている。

しかし、先程建物から流れ出た大量の水を処理するには手遅れであり、そちらはそのまま放置されたのであった。

「転移します！」

そして、そこには誰もいなくなった。

現場に駆け付けた衛兵達は、何も変わった様子のない聖地、そして大量の水が流れたその周囲を見て困惑するばかりであったが、後に聖職者達から『きっと、あの出来事以来お姿を現しにならないセレスティーヌ様が、カオル様を悼《いた》んで流された涙だったのであろう』との意見が出されたことにより、皆が納得したのであった。

＊　　＊

「では、私は早速、『あの人』に報告に行きますので！」

カオルと礼子をいったん街の外に転移させた後、礼子の頼みで宿屋に再度転移し、すぐにそんなことを言って姿を消した、セレスティーヌ。

カオルにとってはあの時からの経過時間はゼロであるし、セレスティーヌにとっても、カオルがいない間のことは、話題にするようなことではない。なので、今のセレスティーヌにとって最も重要なことは、このことを伝えて、『あの人』のところへの訪問を再開することなのであった。

そして、ふたりきりになった、カオルと礼子。

これに備えて二人部屋を取っておいたので、このまま朝まで話していても問題ない。

「で、礼子、いったいどうしてここへ……。それに、その姿は……」

そう尋ねるカオルに、さらりと答える礼子。

「あなたと同じよ。死んで、あの地球の管理者である神様モドキに転生させてもらったの」

「え……」

カオルは、礼子の若い時の姿を見た時から、そうではないかと思ってはいた。それ以外に、この状況の説明がつかないので。

しかし、それはあまりにも……。

「あの野郎、失敗は数千年に1回、とか言っていたくせに、こんなに短期間で、しかも、選りに選って私の友達を……」

そう言って、ぎりり、と歯を噛《か》みしめるカオル。

「あ、違う違う！　神様のミスじゃないわよ。私はちゃんと天寿を全《まっと》うしたからね！」

「え？　でも、こんなに早く死んじゃうなんて……。事故か何かなの？　それが元々の運命だったとか？」

「ううん、老衰」

「……え？　ええ？　ええええええ〜〜っっ!!」

＊　　＊

「……それじゃあ、地球ではもう、そんなに時間が経ってるのか……。この世界とは時間の流れが違うのかな……」

「え？」

「え？　いいえ、時間経過は同じだって言ってたわよ、地球の神様が」

「だから、この世界でも同じだけの時間が過ぎているはずよ、香が転生してから……」

「えええ？」

「セレスティーヌ様も言ってたわよ、香が姿を消してから、もう70年以上経ってる、って……」

「えええええええええ〜〜っっ!!」

カオル、呆然《ぼうぜん》。

「ど、どどど、どうしてそんなことに……。セレスの奴《やつ》、すぐにアイテムボックスから助け出してくれたんじゃあ……。

あ。

助け出された時に、礼子がいた。そして、数十年が経過していた。

それって、つまり……。

……セレス。セレスうううぅ～～!!」


……バレた。

全てが露見してしまった。

仕方ない。所詮、隠し通すことなど無理な案件であったのだ……。

＊　＊

翌日、宿を引き払ったふたりは、王都を後にした。

行き先は、勿論バルモア王国の王都、グルアである。

カオルには、そこで確認しなければならないことがたくさんある。

……そう、自分が大事にしたかった者達、そして守りたかった者達。カオルが突然いなくなった後、その者達がどうなったのか。それを確かめずにはいられなかったのである。

あの後、事件がどうなったのかも、気にはなる。

しかしそれは70年以上も昔の話であり、事件としてはとっくに終わったことである。関係者の大半も、もう生きてはいまい。処刑によって。あるいは寿命によって……。

なので、そんなことは後でゆっくりと確認すればいい。

この世界では、人間の平均寿命はとても短い。

乳幼児の死亡率や出産時の母親の死亡率だけでなく、成人男性の死亡率も、普通に高い。たとえ戦争による大量の死者が出なかったとしても。

なので、カオルの知り合いが現在も生きている確率は、そう高くはないであろう。おそらく、1割も生きていれば上等、といった程度であろうか……。

しかし、確かめずにはいられない。

カオルが消えた後の、彼ら、彼女達が辿《たど》った人生を。その軌跡を……。

自分が守るつもりであり、そして守れなかった、子供達。

受けた恩を返すつもりで、返せなかった人々。

その人達の、人生を……。

＊　　＊

「そろそろ、夜営にしようか」

「うん。じゃあ、道を外れて、街道から見えないところへ行こうか」

カオルは礼子にそう答え、街道から見えないところ、つまり怪しい連中に狙われないところへと移動して……。

ぽんっ！


アイテムボックスからテントを出したカオル。

「あ～、私はまだ、何にも入れてないからなぁ。早めに水と食料、その他の必需品を入れとかなくちゃ……」

「え？」

カオルがアイテムボックスからテントを出すのを見て口にした礼子の言葉に、カオルが驚いたような顔をした。

「……あるの？　アイテムボックス……」

「うん。あ、水は出せるけど、やっぱりいちいち魔法で出すのは面倒だからね。適当な容器に入れたのをアイテムボックスから出す方が使い勝手がいいから……」

「うん、それは分かる……、って、ポーション作製能力も？　パクリだあぁっ！」

あれだけ知恵を絞って考えたのに、と膨れっ面のカオル。

それに、それだとキャラが丸かぶりである。

いや、別に困るわけではない。困るわけではないが……。

「いえ、貰ったのは違う能力よ。『あらゆる魔法が、無制限で使い放題』ってやつ……」

「チートだあああぁぁっっ!!」

「香には言われたくないわよっっ!!」

そしてカオルは、礼子から、あの後の地球のことを聞いた。

……但し、自分の家族のことについては話さないよう、礼子に釘を刺してから。

もう、二度と会えないのである。あの後、苦境に立っていたと知っても、何もしてあげられない。

不幸な目に遭っていたとしても、今更、どうしようもない。今の自分なら、怪我も病気も簡単に治してあげられるというのに、何も……。

それならば、いっその事、何も知らずに、みんなは幸せに生きたのだろうと思っていた方が余程いい。それに、もしかすると地球の神様が、お詫びとして、家族の本当の窮地にはほんの少し手助けしてくれたという可能性もある。だから、そう信じて、何も知らないままが一番だ。

自分は、あの世界の者にとっては、もうとっくに死んだ人間である。別れは、あの時に済ませた。だから、自分が頭に思い浮かべる家族の姿は、あの時の姿でいい……。

カオルがそう考えるのは、決しておかしくはなかった。

「……なのに、どうして追いかけてくるかなぁ……」

「何よ、それ！」

カオルが思わず溢《こぼ》した独り言に、礼子が噛みついた。

「どうして、って聞かれても、そんなの、決まってるじゃない。それは……」

「それは？」

「私が、久遠礼子、長瀬《ながせ》香《かおる》の親友だからよ！」

「……馬鹿……」

そして、互いに情報交換を。

「えええええ！　恭《きょう》ちゃんも来るってえええぇ!!」

「うん。そりゃ、私達は3人揃《そろ》ってこそ、だからね！」

いかにも今風の普通の女の子、という感じの、恭子。本当は結構頭が回って気遣いができるのに、目付きのせいで強面《こわもて》扱いの香。そして、おとなしく気弱な文学少女の仮面を被った、シビアで辛辣《しんらつ》な礼子。

ちょっかいを掛けてくる男共も、詐欺師もセクハラ教師も後輩苛《いじ》めの先輩達も、3人揃えば無敵！

クラスメイトや後輩の女子達に頼られ、全ての悪を打ち砕く！

「我ら、学園の守護者、『ＫＫＲ』!!」

ちなみに、『ＫＫＲ』とは、香、恭子、礼子の頭文字を並べたものである。決して、『国家公務員共済組合連合会』とかではない。

「『ぎゃああああぁ～～!!』」

そして、カオルにとっては数年振り、礼子にとっては数十年振りに思わずやってしまった暗黒歴史の象徴、『ＫＫＲの名乗り』に、頭を抱えて転げ回る、カオルと礼子であった……。


「……はぁはぁはぁ、かなりのダメージだったわね……」

「死ぬかと思った……」

そして、ようやく強烈なダメージから何とか立ち直った、カオルと礼子。

「……でも、礼子、おばあさんになったんでしょ？　なのに、姿はともかく、どうして言動が昔のままなのよ？」

カオルからの当然の疑問に、礼子は軽く答えた。

「ああ、それ？　私も、気になって地球の神様に聞いたのよ。そうしたら、『意識体の疲弊《ひへい》は、本人の精神的な摩耗による劣化と、肉体の老化によりもたらされる』とか言ってたわ。つまり、心が磨《す》り減ってしまうか、身体や脳の劣化に引きずられる、ってことらしいのよ。

そして、死ぬと肉体のくびきから脱する、とか……。普通は、そのまま魂と意識体はすぐに霧散しちゃうらしいんだけど……」

「私達は、その前にサルベージされた、と？」

「うん、そう。そして意識体にエネルギーみたいなものを補充してくれて、ピンピンよ！　言うならば、古いガタガタのパソコンからＣＰＵを取り外して、クリーンアップして新しいパソコンに付け替えた、って感じかな。

……あ、香はその必要がなかったとかで、そのまま転生したらしいけどね。

まぁ、そういうわけで、今の私は『若い頃のままのテンションで、数十年分の知識と記憶がある』というような感じかな。

こっちの世界に来ることが分かっていたから、それ用に色々な勉強もしたしね。化学、物理学、機械工学、政治経済、農業、その他諸々……。だから、今の私は……」

「……ロリババア？」

「オマエモナー……」

「ぐぬぬぬぬぬ……」

「……あは」

「ふは」

「あははははは!!」

何年経とうが、礼子は礼子であった。カオルの、ふたりしかいなかった親友のうちの、ひとり……。

「あ、眼鏡、そのままなの？」

「うん。視力は、勿論治してもらってるよ。だから、伊達《だて》眼鏡なんだけどね。度は入ってないよ」

「え？　じゃあ、どうして掛けてるのよ？」

「その方が……」

「その方が？」

「カッコいいからよ!!」

「…………」

しかし、カオルには察しがついていた。

多分、これは自分のためなのだろうな、と。

中学校からの10年以上の付き合いは、ずっとこの状態であった。

眼鏡を掛けた礼子と、目付きが悪い香。

だから、再会の時も、眼鏡を掛けたままで。

……きっと香も、目付きが悪いままなのだろうから……。

「うるさいわっっ!!」

急に、勝手に叫んだカオルに、にっこりと微笑《ほほえ》む礼子。

カオルが何を考えたかくらい、当然察している。

何せ、長い付き合いの、親友なのだから……。


そして、ふたりの話は続く。

「さっきの件だけどね……」

「え、どの件？」

「女神様の、香放置事件」

「ああ……」

礼子が、そんな話を振ってきた。

「あれ、突っ込まずにスルーしてくれない？」

「え、どうしてよ？　今度会ったら、とっちめてやろうと思ってるのに……」

「いや、そこをうまく私がフォローしてあげるからと、交換条件を……」

「なるほど……。おぬしも悪《ワル》よなぁ……」

「「ふっふっふ……」」

混ぜたら危険。

ひとりひとりだと大して害がないのに、一緒になると悲惨なことに。

……それが、学園の守護者、『ＫＫＲ』であった……。

「まずはバルモア王国の王都、グルアに行って、みんなの無事……はちょっと厳しいか。とにかく、私の知り合いで、今現在生きている者達が理不尽な状況になっていないかどうかを確認して、それから図書館で『あれからどうなったか』を調べて……」

「調べて？」

礼子の合いの手に、カオルがにやりと笑って答えた。

「もし、どさくさに紛れてふざけた真似をしてくれた奴らがいたら……、って言っても、殆《ほとん》どはもう生きちゃいないだろうし、たとえ生きていたとしても、もう人生の元は取った、って感じだろうからなぁ……。くそ、やり逃げ、勝ち逃げか……。

ま、お家お取り潰しにして、家名を貶《おとし》めて、子孫達を全員一文無しの平民に落としてやるくらいが精一杯かなぁ……。貴族とか王族とかは、家名だとかお家の存続だとか血筋とかに拘《こだわ》るらしいから、それらに思い切り土を付けて、というか、泥まみれ、ウンコまみれにしてやるか……」

「だよねぇ……。子や孫には罪がない、とか言われても、別に必要以上に苛めるわけじゃなくて、先祖が不当に手に入れたものを返してもらうだけなら、問題ないよねぇ。元々、自分達が相続する資格がなかった財産や名声なんだから……」

昔からカオルは、弱者を踏みつける者も、そして嘘《うそ》を吐《つ》いて他者の利益を奪う者も、大嫌いであった。

人を守るための嘘、人を幸せにするための嘘は、構わない。しかし、悪意ある嘘、人を傷付ける嘘、そして何かを不当に奪うための嘘は、駄目である。

だが、カオルは、相手がそういう嘘を吐いたこと自体を直接非難することは、あまりなかった。

……ただ、相手を完全に敵認定するだけである。

そして、『敵』に対しては、何をしてもいい。勿論、相手がやったのと同様に、手酷い嘘を吐くことも含めて。

さすがに、会社勤務の時には、そこそこ控えてはいた。カオルも、子供ではないのだから。

しかし、子供としての無茶が許される学生の時には、かなりやらかした。礼子と恭子と共に仲間達《なかまたち》……。

そして礼子が知っているカオル像は、その99パーセント以上が、『学生時代のカオル』なのであった。

「もし知り合いが生きていたら、名乗り出るの？」

「ううん……」

礼子の言葉に、首を横に振るカオル。

「結局、私はあの子達を守ってあげられなかったからね……。それに、せっかく『女神様の呪縛』から解き放たれて自分達の力で自由に生きただろうに、今になって私が姿を見せてもねぇ……」

平均寿命が短い世界である。カオルは、生き残っている者がいるとすれば、それは自分より若かった孤児達、つまり『女神の眼』のメンバーくらいだろうと考えていた。それに、他の者は皆、カオルより年上の成人であり、別にカオルが庇護《ひご》しなければならない者達ではなかった。なので、カオルが心を痛め、責任を感じているのは、あの子供達だけであった。

フランセットなど、お釣りがくるくらい恩恵を与えまくっているから、あれで不幸な人生を歩んだとすれば、それは自業自得である。そこまで面倒は見きれない。

しかし、それを言うならば、孤児達にしても、カオルと出会わなければ、あの健康状態と境遇では、数年のうちに大半の者が死んでいたであろう。それを考えれば、カオルがいなくなるまでの数年間を無事に、幸せに生きられただけで充分感謝されて然《しか》るべきであるが、カオルはそう考えるような人間ではなかった。自分が関わり、守るつもりであった者達については、最後まで責任を持って見守るつもりであったのだ。

だがそれも、『自分の、最期まで』と考えれば、充分に義務は果たしたと言えるのであるが……。

「物陰からこっそり見て、幸せそうなら、そのまま立ち去るつもりよ」

そういう香に、『じゃあ、幸せそうじゃなかったら？』などと聞くような礼子ではない。

そんなの、聞かなくとも分かっているから。

「そういえば、ひとつだけ、謎が残ってるの……」

「え、何？」

香の言葉にそう聞き返したものの、礼子がセレスティーヌから根掘り葉掘り聞いたのは、香の消息に絡むことばかりである。なので、国のことや、香の知り合い達に関することは、何も知らなかった。

「私が落とされた穴と、その上から落とされた岩のことなんだけどね。

　穴の方はまぁ、人海戦術で、昼夜を問わず全力で掘らせて、疲れたら人員を交代させる、ってことにすれば、数日あれば4メートルくらいは掘れるかもしれないけれど……。

　でも、岩！　あの、真球に近いくらいのまん丸に仕上げられた、あの岩！　あんな大きさの岩を運んできて、穴のサイズぴったりに、まん丸に加工するなんて、そんなに短期間じゃ難しいでしょ？　どうやったのかな、と……」

「あ、それなら知ってるわよ？」

「ええっ！」

　言ってはみたものの、まさか礼子が知っているとは思ってもいなかった香は、驚いた。

「昨日の昼間、観光客として聖地見学ツアー客の後ろにくっついてたのよ。そうしたら、ガイドの人が説明してたのよ。

　何でも、元々神殿にあった、女神像と一緒に置いてあったものらしいわよ。この世界が球体であることを知っていた者が、女神にお守り戴《いただ》いている世界、という意味で置いたのかもね。

　そして犯人達がたまたまそれを利用しようと考え付いたのか、それとも、神殿にあった女神様縁《ゆかり》の品で御使《みつか》い様を潰す、ということに嗜虐的《しぎゃくてき》な喜びを感じていたのかもね」

「え？　でも、偶然穴にピッタリなんて……」

「逆よ、逆！　『岩のサイズに合わせて、穴を掘った』に決まってるでしょ！」

「あ……」

カオル、痛恨のミスであった。

「しかし、大岩を、あんなにつるつるの、真球に近いものに仕上げるとは……。多分、石工か神官達が、長い期間、手作業でゴシゴシと……」

「「こすったりか？」」

ぎゃはははははは‼

暗闇に響く、少女ふたり（見た目は）の笑い声。

ネタが通じる者がいてくれるのは、何と幸せなことであろうか……。

カオルは、数年振りの日本語での駄洒落《だじゃれ》に、心安まる思いであった。

いや、ここの言葉も完璧に操れるので、勿論この国の言葉で駄洒落を言うことはできる。

……しかし、ウケないのである。全く……。

孤児達にも、困ったような顔をされるだけであった。

笑わないといけないの、という顔。女神がそんな下らないことを言っては駄目です、という顔。

明らかに無理をして笑おうと、引き攣った顔。

そして、カオルは叫んだのであった。

『……くっ、殺せ‼』

文化の違いは、如何《いかん》ともし難《がた》いのであった……。

＊　＊

ふたりは、徒歩でバルモア王国の王都、グルアへと向かっていた。

乗合馬車がかなりの頻度で出ているらしかったが、乗合馬車に乗ると、ふたりが自由に会話することができないからである。

ふたりが話すことは、日本でのこと、カオルがアイテムボックスに入る前のこと、セレスティーヌのこと、これからの活動方針、その他である。……人前で話せるはずがなかった。

この世界では出会ったばかりのふたりには、他者に聞かれても問題ない話題だけで数日間楽しく話し続けることなど、到底不可能であった……。

カオルのアイテムボックスには、あの戦闘馬車《チャリオット》が入っているが、馬を買って、というのも気が進まなかったし、あの特殊な馬車で街道を走り続けるのもまた、気が進まなかった。

目立つし、昔、あの馬車を見たことがある者が、まだ生きている可能性もある。

しかし、カオルが本当にあの馬車を使いたがらない理由は、ただの感傷であった。

（……エドは、もういないんだ……）

そう、馬の寿命は短い。

カオルの愛馬、エドは、カオルが戻らない理由も知らないまま、カオルを待ち続け、そしてこの世を去ったに違いない。

戦友にして相棒だった、エド。

エドは、もういない……。

＊　＊

「で、王都に着いたわけだけど……」

バルモア王国の王都、グルアに到着。

勿論、カオルはポーションで髪と眼の色を変え、服装も、目立たないものに変えていた。

カオルも、トレードマークのようになっていたお気に入りの服装だけでなく、一般的な普通の服くらい持っているし、それらはアイテムボックスに入れてあるので、劣化もしていない。

……デザインがほんの少し、70年ばかり古いが、大した問題ではない。……多分。

そして、カオルに会ったことのある者は、もう殆ど残ってはいまい。かなりのお年寄りにだけ気を付けていればいいし、それも、70年以上前に何度か会ったことがある、という程度であれば、もうカオルの顔を覚えてなどいないだろう。

おまけに、カオルは一般的には『女神』ではなく『女神の御寵愛《ごちょうあい》を受けし人間』としての、御使い様扱いであった。そう、御使いといっても、天使や精霊のような女神の眷属《けんぞく》とは違い、ただの人間だと思われていたのである。

そのため、カオルがいつまでも昔のままの容姿であると思っているのは、フランセットや『女神の眼』の子供達のような、カオルのことを女神様だと信じている者達だけである。なので、バレる可能性は、殆どないはずであった。

「これから先、私のことは『カオル』って呼んでね。『長瀬香』でも、『香』でもない、この世界の住人のひとり、『カオル』って。日本人、長瀬香は、もういないんだ。

……それに、ここじゃ、名字があると貴族だと思われるからね」

「……分かった。それじゃ、私も、『レイコ』だね。この、新しい名前と命で、新しい世界に生きてゆく！」

さすが礼子……、いや、レイコ。話が早い。

カオルという名は、カオルがアイテムボックスに入った頃には、既にかなり広まっていた。

そう、女神の御寵愛を受けし少女の名にあやかり、カオルという名を生まれた娘に付けるのが流行《はや》っていたのである。

なので、現在は既にカオルという名は、生まれたばかりの子供から70代半ばあたりまで広まっており、カオルがその名を名乗っても、誰も何とも思わないはずである。どこにでもいる、ごくありふれた名前なので。

……つまり、偽名を名乗る必要は全くない、ということであった。

「まずは、宿を取ろう。移動中ならばともかく、王都内でテントを出して夜営をするわけにはいかないからね。出遅れて、いい宿が取れなかったら大変だから」

カオルの言葉に納得し、とりあえず宿を探すふたり。

お金は、レイコがちゃんとセレスティーヌからせしめていた。セレスティーヌが作った贋金《にせがね》ではなく、ちゃんと人間によって作られた本物であり、セレスティーヌ曰《いわ》く、『完全に人間の所有権から離脱したもの』らしい。

……多分、海に沈んだ船に積まれていたとか、そういう類いのものなのであろう。

贋金を作るのは簡単であったと思われるが、おそらく、そういうのはセレスティーヌの矜持《きょうじ》に反するのであろう……。

勿論、カオルのアイテムボックスには、昔稼いだかなりのお金が入っている。

しかし、何と、この70年の間に貨幣のデザインが変わってしまったらしいのである。おまけに、近隣の数ヵ国で完全に互換性がある統一通貨だという……。

大陸全土で、というわけではなく、この辺りの数ヵ国、具体的に言うと、バルモア王国、ブランコット王国、アシード王国、アリゴ帝国の、半島部の4ヵ国で完全互換。更にブランコット王国に大陸側で隣接するドリスザートとユスラル王国でも、ほぼ現地の貨幣と同じ価値で使用することができるらしかった。

貨幣の鋳造は、当然ながらそれぞれの国で行われるが、その組成、つまり金や銀の含有量や重さが厳密に定められ、統一されているため、同じ価値の貨幣として完全に互換性を有しているということである。

普通であれば、通貨というものの価値は、それを発行している国の信用度によって変化するものであり、ただ単に金や銀の含有量が、というものでもないはずであるが、まだそういう『国の信用』という段階に達していないのか、それともこの4ヵ国はひとつの商圏として安定しているからか、そういう離れ業を実現させることに成功したらしい。

「……で、これが今の貨幣なんだけどね……」

宿を取った後、部屋でレイコがそう言って巾着袋から取り出したのは、銅貨、小銀貨、銀貨、小金貨、金貨、金貨の、一般的に使われる硬貨、5種類。他にもあるが、それらは商人の大きな取引だとか、国家間の貿易に使われたりするもので、一般庶民が目にするようなものではない。

そして、レイコが出した硬貨をじっくりと眺めるカオル。

どうやら、どの硬貨も全て、表側は同じ人物の顔がデザインされているらしかった。

それでも、顔の向きや表情が変えてあるし、材質や大きさが全然違うから、間違えるようなことはないのであろう。

「……あれ？　この顔って……」

なんだか、嫌な予感がするカオル。

「……今は、金貨何枚と銀貨何枚、とかいう言い方じゃなくて、お金の単位で表現するらしいよ。円やドルみたいにね。まぁ、昔ながらの言い方をする人も多いらしいけど。

で、その『お金の単位』なんだけどね……、『カオルン』って言うんだって。昔の聖人、『御使い様』の名前にちなんで……」

「ぎゃあああああ！　やっぱりいいいいぃ～～!!」

そう、その硬貨に刻まれている人物の顔は、目付きがかなり悪かった。

おそらく、これでも、かなり気遣って修正されたものだとは思われるのであるが……。

「ま、まぁ、昔の貨幣も使えないわけじゃないらしいから……。古銭扱いじゃなくて、ちゃんと店頭で通用するらしいよ。信用通貨じゃなくて、地金の価値での通貨で良かったね。

まぁ、3パーセントほど安くなるから店頭での計算が面倒で嫌がられるし、目立っちゃうけどね。早めに両替商かどこかで両替しといた方がいいかも……」

レイコがそう言って慰めるが、勿論、カオルがショックを受けているのはそんなことではないということくらいは分かっている。ただ、ピント外れを承知でこうでも言わないと、他に慰めようがなかったのである……。

宿を取ったのは、まだ早い時間である。なので、ようやく王都に到着したというのに本日はこれでおしまい、などということが我慢できるカオルではなかった。

早速、レイコと一緒に出掛けるカオル。行き先は、勿論カオルが買い取り、『女神の眼』の孤児達に与えた、あの家である。

大事なことを後回しにして、『もう少し早く来ていれば……』などというお約束をするには、カオルは様々な物語を読みすぎていた。

70年以上も経っているのだから、あの家がまだあるとは思っていない。

しかし、とにかくまず最初に、その場所が現在どうなっているかを確認し、その後、明日から孤児達の消息を確認するつもりであった。

……のであるが……。

「どうして、そのまま残ってるのよ……。しかも、現役で……」

そう、煉瓦《れんが》造りとかであればともかく、木造の、それもごく普通の中古の家だったのである。最初は賃貸で借りて、後に買い取ったのであるが、その時点で既にかなりの年季物であった。あれから70年も使い続けられるようなものではなかったはずである。良い建材を使ってしっかりと造られた古民家とかではないのだから……。

そして、あの家は以前のまま……勿論、かなり老朽化してはいるが、ちゃんと補修され手入れされている……であるが、その周囲は大きく様変わりしていた。

左右は大きな商店になっており、裏の方は集合住宅のようなものがいくつか建っている。それも、独身の従業員のための寮のようなものから、家族用らしきものまで、各種……。

「周りが発展して土地が買収されても、ここは売らずに守り続けたのか……。

さっさと売り払って、そのお金をみんなで分けて巣立て、って言っておいたのに……。あの、馬鹿共が……」

あの子供達も、結婚し、子や孫を成したことだろう。そのうちの誰かを住まわせて、ずっとここの維持管理を続けてきたのか。

いつかカオルが、再び降臨するかもしれないと思って。

その、殆どゼロにも等しい可能性に備えて。

そう考えると、両頬を伝う熱い涙を堪《こら》えることができないカオルであった……。

「ん？　何々……」

しばらく経って、ようやく落ち着いたカオルがふと気が付くと、玄関の横に、何やら立て札が掲げてあった。近付いてそれを読んでみると……。

『女神カオル真教総本山』

「何じゃ、そりゃあああああぁ〜〜!!」
思わず叫んだカオルの口を、慌てて手で塞ぐレイコ。
そして、カオルが黙ったのを確認したレイコは、左右の店の看板を指差した。
『薬種屋　女神の眼』
『土産物店　女神の眼』
『カオル様煎餅《せんべい》あり〼《ます》』
「全部、あいつらの店かいっ！　そして、どうして饅頭《まんじゅう》じゃなくて煎餅なんだよ！
当て付けか、ええっ!!」

第四十六章　長い《ロング・》お別れ《グッドバイ》

あの後、急いで宿に戻った、カオルとレイコ。

些《いささ》か、騒ぎすぎであった。

あのままだと、家や店から人が出てきそうだったため、レイコがカオルの手を引っ張って、大急ぎで退散したのであった。

あの様子ならば、みんなの消息を確認するのは容易だと思われたし、生活に困っているということもあるまい。そう考え、カオルも少し気持ちに余裕ができたようである。

「まぁ、宗教は儲《もう》かるからねぇ……」

そして、身も蓋もないことを言うレイコ。

昔と、全然変わっていない。

数十年に亘る人生経験とは、いったい何だったのか……。

そう思い、がっくりと項垂《うなだ》れるカオルであった。

ふたりは、その日はそのまま宿で休み、続きは明日にすることとしたのであった。

＊　＊

翌日、まっすぐ『女神の眼』の本拠地へ向かうのはやめて、ふたりは図書館へと向かった。

どうも、先に状況を把握した方が良さそうだと思い、順番を考え直したのである。

そして、昔と変わらぬ場所にあった図書館は、入館料も昔と変わらず、結構高かった。

まぁ、銀貨の枚数は同じでも、貨幣価値が変わっているかもしれないが……。

そしてカオル達が最初に向かったのは、勿論、歴史書のコーナーである。

カオルが最初に手に取ったのは、『バルモア王国史』。歴史を調べるなら、やはり国が編纂《へんさん》した歴史書が一番であろう。

勿論、若干は王家に都合が良い内容に変えられているかもしれないが、どこの誰かも分からないような者が書いた、僅かな知識と一方的な偏見に塗《まみ》れた本とか、自分達の一族を英雄に仕立てた、どこかの貴族が書いた本とかに較べれば、遥かにマシであろう。

そして、その歴史書を読む、カオル。

このコーナーに来るまでに視界内に入った、宗教コーナーにあった何冊かの本、『女神カオル真教の全て』、『女神か御使《みつか》いか？　カオル様の謎』、『カオル様名言集』、『カオル様99の秘密』、『カオル様のダイエット術』、『決してやってはいけない！　カオル様の豊胸術』等は見なかったことにした。

……特に、最後のやつ!!

レイコも、この世界のことを知るべく、現在の世情について書かれた本を読んでいる。

レイコは、今更昔のことを知ってもあまり意味はないし、当時のことを知っているわけではないから、歴史書を読んでも、あまり面白いものではない。なので、歴史書を読むより、現在のことについて書かれているものを読んだ方が遙かに役に立つ。……特に、この世界のことについては殆《ほとん》ど知らないレイコにとっては……。

歴史書の、ここ70年少々の部分を読んだカオルは、その後様々なコーナーを廻《まわ》り、歴史上の事件を纏《まと》めた本、当時書かれた瓦版《かわらばん》のようなもの、関係者が書いたらしき小冊子等、様々なものを読み漁《あさ》った。

さすがにあれは大事件だったらしく、あの事件関連のことが記述された本は多かったが、紙質や筆記具、インク、そして手書き複写ということから、本の文字が大きくページ数も少なく、結構速く読めるのであった。

それでも、司書から『閉館の時間です』と肩を叩《たた》かれるまで、読書に没頭するカオルであった。

＊　　　＊

「結局、今日は図書館だけで終わっちゃったか……。でもまぁ、絶対にやらなきゃならないことだったから、仕方ないか……」

宿に戻って、そう呟《つぶや》くカオル。

「で、調査の結果はどうだったの？」

そう尋ねるレイコであるが、あの、ブランコット王国王都アラスの『聖地』の様子や、この街の元自宅の様子から、カオルが悪党として言い伝えられているというような可能性はない。

そもそも、統一貨幣の単位だとか、あの硬貨《コイン》のデザインとかから考えても、元々そんな確率はゼロであった。

そして勿論、大体のことは察していたレイコである。

「うん、それなんだけどね……」

カオルが言うには……。

カオルが落とし穴に落とされ、大岩から逃げるためにアイテムボックスに入った後。

女神セレスティーヌが降臨し、激怒して大陸の破壊を宣言。

それを、大陸の守護神にして絶対英雄、勇者フランセットが阻止。女神セレスティーヌは悪人達の処分をブランコット王国の王位正統後継者にお命じになり、天界へと戻られた。

その後、ブランコット王国の王位は正統後継者である第一王子が継ぎ、王位簒奪《さんだつ》を図った第二王子は父王殺しの罪と合わせて斬首刑、その妻子も後顧の憂いをなくすため全員死罪となった。

勿論、第二王子を唆《そその》かした元ルエダの神官、貴族や大商人達も同罪として、全て死罪の上、お家お取り潰しとなった。

国の病巣の大掃除をする絶好の機会であったし、それ以前の問題として、女神セレスティーヌの指示を守らなかった場合にどうなるかということを考えると、処罰が過酷になるのは仕方なく、それには処罰を受ける側の者からも異議は出なかったらしい。

さすがに、自分のせいで大陸が壊滅するというのは、かなりの悪人であっても耐えられるものではなかったものと思われる。

割を食ったのが、もはや政治的野心はなく、のんびりと余生を過ごすつもりであった、財貨を持ってルエダから逃げ出した他の元神官達である。

女神セレスティーヌからの命令が半島基部の国々にも伝えられ、各国が血眼《ちまなこ》で元神官達を捜索、その全てを捕縛し、没収した財産と共にバルモア王国ルエダ領へと送り返した。

自分達を含む、大陸全ての人々の命が懸かっているのである。捜索に当たった者達の様子には、鬼気迫るものがあったらしい。

そして、大陸中の人間全てが全力で捜索に協力するのであるから、まさかそんなことになるとは思いもせず、個人情報の秘匿や管理が杜撰《ずさん》であった元神官達は次々に捕らえられたらしい。

まぁ、彼らは全員が死罪となったわけではなく、あの件に関係がなく、元々そう悪辣《あくらつ》ではなかった者達の中には、財産没収だけで済んだ者もいたらしいが……。

そして、ブランコット王国の国王となった第一王子は直ちにバルモア王国と講和条約を結び、バルモア王国、ブランコット王国にアシード王国、アリゴ帝国を加え、半島部の4ヵ国で通商条約を締結。

更にブランコット王国に大陸側で隣接するドリスザートとユスラル王国にも声を掛け、半島部とその基部に当たる国々で巨大な商圏を形成する基礎を作り上げた。

「あのストーカー野郎、そんなに政治的手腕があったとは、驚きだよ……」

カオルは、複雑な顔をしてそんなことを言っているが、勿論、それはフェルナンが『御使い、カオル様が王権を与えるにふさわしい者としてお力をお貸しになった者』と認識されていたためである。もしそれがなければ、『継承争いで国を乱した無能な若造』と見られ、とても各国を纏めることなどできなかったであろう……。

そしてフランセットは、バルモア王国をアリゴ帝国の侵略から護った救国の大英雄という肩書に加え、女神セレスティーヌの魔の手からこの大陸の全てを護った、『大陸の守護神にして絶対英雄、勇者フランセット』として、現人神《あらひとがみ》にも匹敵する扱いとなったらしい。

その後、2ランク陞爵《しょうしゃく》して、侯爵になったとか……。

「女神なのに、『魔の手』なんだ……」

呆《あき》れたような顔でそう言ったレイコであるが、カオルは肩を竦《すく》めただけであった。

そして、バルモア王国だけでなく、大陸中の国々に祝福されての、フランセットとロランドの超特大結婚式。

生まれた娘が、王太子、つまりロランドの弟で国王陛下であるセルジュの長男と結婚し、セルジュは『これで、兄さんの血を王家の本流に戻せた……』と涙したらしい。

『女神の眼』の子供達についての記述は、あまりなかった。

カオルが面倒をみて（もらって）いたというだけの、ただの孤児達なのだから、書物に記載して残すようなことではないと判断されたのであろう。

もしかすると、カオルに一番近い位置にいたのが王族や貴族、聖職者達ではなく孤児達であったという記述を正式な歴史として残すのを嫌がった可能性もある。……そういう奴《やつ》は、どこにでもいるものである。

……しかし、『女神カオル真教』という名は、いくつかの本に少し出てきた。

それは、カオルは女神セレスティーヌの御寵愛を受けし御使い様であり、人間であるとする、セレスティーヌを唯一神とする『女神正教』系の教えが主流である中、カオルは女神セレスティーヌの友人であり、異世界の女神であるという、一部の者達からは異端呼ばわりされている少数派の宗教であった。

開祖、エミール・ナガセ。

「え？　カオルの子供？　それに、カオルって貴族なの？」

「私はまだ独身だし、由緒正しい平民だよっ！　その子は、一緒に暮らしていた孤児だよ」

レイコの質問に、鼻の頭を掻《か》きながらそう答えるカオル。

「でも、名字があるのは貴族だけ、って……」

「うん、基本的にはそうなんだけど、大商人とかは名字とか屋号とかを名乗ってもいいらしかったし、この子達には、そのぉ、『カオル様の眷属《けんぞく》にしてください！』って頼まれちゃってねぇ……。キラキラ輝く14の瞳に見詰められて、勝てる女の子はいないよ……。

で、つい了承しちゃってね。そうしたら、『よし、これで俺達はカオル様の眷属、つまり従僕であり使者、そして一族、親族、郎党。……つまり、家族だ！』とか言ってたから……。

あの子達が私と一緒に暮らしていたことはみんなが知っていたから、あの子達が私の名字を名乗るのを誰も止められなかったんじゃないかなぁ。もし余計なことをして、セレスの怒りを買ったら、とか考えたら……」

「あ～……。そりゃ、見て見ぬ振りをするわよねぇ……。子供達は多分、カオルの名が、正しくフルネームで伝わることを望んで、そうしたんでしょうねぇ」

「うん……」

カオルも、エミール達の気持ちが分かるため、文句を言う気はなかった。

「でも、唯一神教に喧嘩《けんか》を売るような新興宗教を立ち上げて、よく潰されずに今まで残ってるわねぇ。こういう世界って、教会の力は絶大なんじゃあ……」

「神殿、ね。教会じゃなくて……。

で、確かに、普通であればそうかもしれないんだけど……」

信者名代《みょうだい》：フランセット・バルモア
信者筆頭：ロランド・バルモア
主な信者：女神の眼一同
　アダン伯爵家
他国支部：ベリスカス……レイフェル伯爵家、ドリヴェル子爵家を中心として活動
　アリゴ帝国……主に海軍及び船会社の関係者達を中心として活動

「そりゃ、潰せないわね……」

「潰せないよね……」

何しろ、『大陸の守護神にして絶対英雄、勇者フランセット』と、その夫である王兄殿下が信者の纏め役なのである。そして、友好国の軍部に浸透。下手に迫害などすれば……、いや、それ以前の問題として、女神セレスティーヌを怒らせかねない。

「そういえば、マリアルの家、陞爵したんだ……。それと、あの男の子のところも、確か男爵家だったはず……」

そう、子爵家から伯爵家へと、男爵家から子爵家へと、それぞれ陞爵したようであった。

その理由は、書物には書かれていなかった。

「ま、他国の貴族のことなんて、わざわざ書かないか」

カオルは、そう言って軽く流した。

まさか、『とても書物に書き残せないような理由』かも、とかは考えもせず……。

「そういうわけで、本で調べた限りでは、子供達はおかしな宗教を立ち上げた以外は、別に記録に残るような揉め事に巻き込まれたりすることなく、普通に暮らせたみたい。まぁ、孤児が人並みの幸せを掴《つか》めたなら、こういう世界としては上出来かもねぇ……」

「……それ、『もっと幸せにできていたら』とかは考えないの？」

「え？」

レイコの言葉に、きょとんとした顔で首を捻《ひね》るカオル。

レイコが言っていることの意味がよく分からなかったのである。

今更そんなことを考えても、それは後ろ向きな考えになるだけであり、考えても無駄である。

しかし……。

「もし、時間を遡行《そこう》できたら？」

「え……」

レイコの言葉に、固まるカオル。

カオルも、読書好きであった。なので、タイムスリップ物、タイムマシン物とかの小説はたくさ

ん読んでいた。……勿論、その手の漫画やアニメ、映画とかも。

「……できるの？」

「確認していないけど、多分無理、だと思う。女神様のお仕事である、『次元世界の崩壊阻止』というのに真っ向から喧嘩を売りそうじゃない、『時間遡行による次元世界の分岐』とか……」

「あ～、確かに……」

どうやら、レイコはただ単にカオルの気持ちを聞いてみただけ……、いや、おそらく、カオルが心中に抱え込んでいるかもしれない、『もし、私がもっとうまく立ち回って、ずっと子供達の面倒をみてあげていれば、みんな、もっと幸せになっていたかも……』とかいう、今更もうどうしようもないことで悩み苦しむことがないよう、そんなことを聞いてカオルに吐き出させてやろうとでもしたのであろう。

「……でも、もしそれができたとしても、……いいや。

もし時間を遡《さかのぼ》ってやり直したとすれば、この世界のみんなの、この70年以上に亘る出来事……、努力やその成果、叶えられた夢や叶えられなかった夢、生まれた人達、それら全てが一瞬で消えて、『なかったこと』になるなんて、そんなの、神様にだって許されないよ。

それに、もし過去に戻ってやり直したとしても、それはただその時点から新たな分岐世界が生まれるだけであって、今現在のこの世界は、『カオルとレイコのふたりが突然消失し、そのまま続く』という確率が高いからね。

それだと、この世界のみんなの境遇は変わらないし、何の意味もないよ。

そして、分岐し新たに発生した次元世界の生命の存在とその不幸や悲劇に対して、その全ての責任を私が負うの？

ないわ～！　そんなの、神様の仕事だよ！　私が背負うには、重すぎるよ！」

カオルは、そんな重荷を背負う気は、更々《さらさら》なかった。

人生は、一発勝負。そこには、やり直し《リプレイ》や、リセットマラソン《リセマラ》は存在しない。

配られたカードで勝負するしかない。たとえそれが、役札であろうが、カス札であろうが……。

そう考えたカオルであったが……。

「あ、私、リセット人生やってる最中だった……」

「私は、リプレイかな？」

そう言って、たはは、と苦笑いするカオルとレイコ。

「ま、多分カオルはそう言うだろうと思ってはいたけどね。そもそも、時間遡行なんてできるかどうかも分からないし……」

「うん。それは、人間が手を出しちゃいけない世界だよね……」

やはり、レイコはカオルがそんな気は全くないのを承知でそう聞いてきたようであった。カオルが、ただ頭の中で考えるだけでなく、はっきりとそれを口にして、気持ちにケリを付けられるように。……そして勿論、それが分かっているカオル。

「……やっぱり、レイコはレイコだなぁ……」

「何よ、それ……」

＊　＊

そして、翌朝。

いよいよ、カオルの知り合い達の状況を確認する日である。

そうは言っても、平均寿命が短いこの世界では、まだ生きている者の数は、そう多くはないであろう。

当時、カオルが15歳の肉体で転生し、それから5年弱。消えた時点で20歳の少し手前だったわけであるから、それより年上だった者は、既に90歳以上。……まず、望み薄であった。

孤児達ですら、その時でエミールが16歳、ベルが12歳で、レイエットちゃんが6歳。

……みんな、80歳前後か、それ以上である。かなり厳しい。

しかし、彼らの子や孫、そして彼らが残した軌跡くらいは確認できるであろう。宗教団体とお店という、分かりやすいものを残してくれているのだから。

「髪と眼の色変更、よし！　目尻を下げるメイク、良し！　お金、レイコから借りた、よし！　出発！」

最初に行くのは、お店である。

客が店に入る。何のおかしなところもない、一番自然な行動である。そして、遠方から来た旅人として、店員に色々と尋ねても、全く不審なところはない。情報収集の方法として、完璧であった。

そして……。

「入るわよ！」

「え、ええ……」

しばらく店の前で躊躇《ためら》った後、ようやく意を決したらしいカオルの言葉に、レイコが頷《うなず》いた。

そして、入り口の扉を開けて、店内に入るふたり。

選んだのは、土産物店ではなく、薬種屋の方である。その方が客が少なく、ゆっくりと店員と話せると考えたからであった。

店内に入ったふたりに、会計台《カウンター》の向こうから、いらっしゃいませ、という声が掛けられた。

店番は、60歳前後の、この世界としてはそこそこのお年寄り。

まぁ、土産物店ならばともかく、こういう渋い系の店に、あまり若い店員は似合わない。薬種屋の主人は年寄り、と相場が決まっている。

（さて、話の切っ掛けとしては、私達が冷やかしではなくちゃんとした客であると思わせ、かつ、ただの商品の売買では終わらせない話題が必要、と……。そう、マニアックで高価、かつこの店には無さそうな品のことを聞いて、そこから話を膨らませればいいってわけだ。……ならば！）

「ヘモルトの種、モルトグルの実と、クルコルの葉っぱ、ありますか？」

そう、長命丹《ちょうめいたん》の材料の、超高価な稀少素材である。

この3つを買うということは、長命丹のこととその素材を知っているということであり、それ即《すなわ》ち、普通の平民ではない、ということである。なので、カオル達が只者《ただもの》ではないということの証明となり、そして店には置いてない高価な素材の入手について話し込むことにより、色々な話に繋《つな》げることが……。

「ありますよ。長命丹ひと瓶作るのに必要な分量で、全部で金貨35枚です。うちで調合もできますよ」

「あるんかいっっ!!」

＊　　＊

私は、以前の事件で知った薬の知識を活用して、この薬種屋で『只者ではない！』と思わせるべく、ハッタリをかまそうとした。……普通の店には置いてないであろう、稀少で高価な素材、しかも調合できる者が非常に少ないという、あの『長命丹』を作るのに必要な基幹素材である、その3つの薬種の名を出すことによって。

そして、その結果……。

全部、あるんかいっっ!!

……はぁはぁはぁ……。

いや、考えてみれば、あれから70年以上経《た》っているんだ。技術が進歩して、稀少薬草の栽培ができるようになっていたり、現代日本における高麗人参《こうらいにんじん》のような立場になっていたりするのかもしれない。

……いかん。

昭和から平成にかけての70年はすごく変化したけれど、原始時代の70年なんか、何も変わったりしないだろう。だから、この世界での70年も、文明レベルはそんなに変わっていないと思っていたんだ。それなのに……。

いやいや、それにしては、さっき提示された金額は昔と大して変わらなかった。

ということは、薬や素材の価値は昔と殆ど変わっていないということに……。

おそらく、この店が異常に品揃えの良い店なのか、時期的にその3種類の薬草が採取される季節なのか、それとも私のポーションが失われたため長命丹が大人気となっているのか……。

とにかく、この店には長命丹の主要原料であるあの3品が揃っており、値段は昔と同じく馬鹿高く、そして私は、それがあるかと聞いてしまった……。

いや、あるかどうか聞いただけで、まだ『買う』とは言っていない！　セーフ！　セェェ～フ!!

はぁはぁ……。

「…………」

黙り込んだ私を、胡散臭《うさんくさ》げに見る、店番の老人。

「…………」

うう、気まずい……。

「…………」

うあああああぁっ！

「……まぁ、高価な品だし、それを必要としている、ということが対立している相手に露見するとマズい、ということもありますからね。ちょっと、奥でお話を伺いましょうか。

おーい、ちょっと、店番代わっておくれ～！」

あああああ、ますます泥沼にっ！

……まぁ、奥で色々と話を聞いて、そんなに高くない薬をいくつか買って退散するか。

薬。

選りに選って、私達にとって、一番不要な品……。

これじゃ、まだ、土産物屋の煎餅《せんべい》とかの方が、ずっとマシだったよ！

そういうわけで、奥の小部屋へと案内されて、お茶と茶菓子が出され、女性店員が去った後。

「……で、どういうことですかな？」

あれ？　怒っている？　何だか、かなり不機嫌そう……。

買いもしない高価な品のことを聞いたものだから、冷やかしだと思って、怒っている？

いや、でも、高価な品を買うのを躊躇うとか、普通にあるよね？　それを、経験豊富な年配の店員が、いちいちそんなに感情を露《あら》わにするものなの？

日本とは違うのかなぁ、そういうところ……。

「どういうことか、って聞いているのですよ！　どうして……、どうしてこんなに遅いんですか、カオル様……、う、うぁ、うああああぁ〜〜!!」

飛びついてきて、ぎゅっと自分を抱き締めて泣きじゃくる老人に、呆然《ぼうぜん》として、突き放すこともできずに、私はただ立ち尽くしていた……。

そして、ふと気が付いて、小さな声を絞り出した。

「……エミー、ル……？」

その老人には、何となく、懐かしい少年の面影があるような気がした。

いや、懐かしいとは言っても、私にとっては、ほんの数日前のことなんだけどね……。

でも……。

「ごめん……。ごめんね……」

謝るしかない。

そして、泣くしかない。

私にとっては、認識する間もない一瞬のことであっても。

それは、この子達にとっては、どんなに長い日々だったことか。

人の一生。

その殆どを、私を待ってすごしたのか。自分の人生を……。

「いや、ベルと結婚して、子や孫、ひ孫、玄孫《やしゃご》までいて、商売で儲けまくって、悠々自適の生活ですけどね」

「何じゃ、そりゃあああぁ～～!!」

＊　＊

ようやく落ち着いたらしい、老人……、エミールに、あれからのことを色々と聞いた。

相手がエミールなら、何でも遠慮なく聞けるし、私が知りたいことは概《おおむ》ね何でも知っているだろう。あのエミールが、全ての事情を調査していないはずがない。何せ、調べる時間は充分にあっただろうから。……そう、70年以上も……。

あ、『遅い』と散々文句を言われた件に関しては、『私にとっては、ほんの数日間しか経っていない』ということで、切り抜けた。……何も、嘘は吐いていない。

エミールは、『くそっ、神界との時の流れの違いか、何万年も生きる神々との感覚の違いか……』とかぶつぶつと呟いていたが、どうやら一応は納得してくれた模様。うむうむ。

そして……。

「え？　ベルを始め、元々の『女神の眼』7人中、5人が健在？　レイエットちゃんもフランセットも、まだ生きてるって？」

「うん。ウォリーは馬車の事故で、エイクは仕入れの帰りに盗賊に襲われて……。

その他は、みんな元気だよ。……死亡率が高い流行《はや》り病や大怪我の時には、『あれ』を使わせてもらったからね」

あ……。

そうか、普通なら死ぬであろう怪我や病気が、『あれ』、つまり、この子達に渡し、床下に隠された、有効期間無制限、病気・怪我両対応の特製万能ポーション3ダースのおかげで……。

そりゃ、即死や、ここに帰り着けないうちに亡くならない限り、そう簡単に死んだりしないか。

「でも、『女神の眼』の中で最年長だったエミールは、もう90歳近いんじゃないの？　何か、60歳くらいにしか見えないけど……」

そう、年の割には、メチャクチャ若く見えるんだよね、エミール……。

だから、最初、全く気付かなかったんだ。これが、ヨボヨボの、枯れ木のようなお爺《じい》さんなら、さすがに『もしかすると』とか思ったかもしれないけれど。

「ああ、俺達全員、すごく若々しくてさ。それが、『女神の眼』の薬は効果がある、女神に祝福された人々だ、って評判で、うちの商売が上手くいってる理由のひとつなんだ……。

それに、病気とかには殆ど罹《かか》らないしね。……そりゃ、強烈な流行り病とかには、さすがに罹っちゃうけどさ……」

エミールは、年寄りのくせに、若者のような喋《しゃべ》り方をしている。まぁ、普段は年相応の喋り方なんだろうけど、今は、私と会って、昔のままの話し方にしているのだろう。私に対して、『久し振りじゃな』なんて喋り方はしたくないんだろうな、多分。

エミールにとっても、今は、『あの頃』に戻っているんだろう。『刻《とき》』が……。

「あ」

そして、気付いてしまった。

エミール達が病気に罹りにくくて若々しいのは、多分、ポーションの影響だ。

初めてエミール達に会った時、小さな怪我や様々な病気を抱えて、栄養不足でガリガリのボロボロだった子供達を何とかするために、怪我や病気を完全に治癒する効果を持たせたポーションを飲ませたんだった。後《のち》に作った機能限定版とは違って、深く考えずに作ったやつを。

病気の、完全治癒。

それは、遺伝的に将来発症するかもしれなかった病因や、その時点におけるDNAの転写エラーとか、短くなったテロメアの長さの修復とか、まぁ、色々なことがアレしていたりして……。

そりゃ、何かセレスの加護を受けていそうな気がして、誰も手を出さないわな……。

それで、権力者に絡まれたり、地回りのチンピラやら商売敵やらにちょっかいを掛けられたりもせず、順調にやってこれたわけか……。

反則やん!!

「それじゃあ、レイエットちゃんも一緒に？」

「ああ。7人で、あの家を拠点にして商売を始めた。働きに出るより、あの家で商売をした方が、みんながずっと一緒にいられて安全だし、家や『アレ』を守るのに都合が良かったからね。

持ち家があるわけだから、住居の家賃も貸し店舗の賃料も要らないし、7人分の無償の労働力があるわけだから、食っていくのに必要なお金くらいは簡単に稼げたよ。

それに、そもそも『カオル様が暮らしていた家と、カオル様が面倒をみていた子供達』だよ、客が来ないわけがないよ」

「反則だっ！」

そりゃ、ちゃんと稼げるわけだ。

……あれ？　7人？　レイエットちゃんを加えると、8人では……、って、あ、ロロットがアシルのところへ行ったのかな。

「そして最初に選んだ取り扱い商品は、勿論、薬種関係。『御使い様』縁《ゆかり》の店だからね。

カオルのポーションみたいな効果を期待されると困るから、薬そのものは扱わず、あくまでも原材料である『薬種』を売ったんだ。そもそも、調合できるような知識も技術も資格もなかったたから、薬を売ることはできなかったしね。

あ、今は資格持ちを抱えているから、調合もできるよ。俺自身も資格持ちだし」

エミールは、熱心に剣の鍛錬をやっていたけれど、あれは私を護るためだ。

護るべき私がいなくなり、年を取って思うように動けなくなってからは、私が戻ってきた場合の護衛には他の者を充てるつもりで、子孫のうち希望者には武芸の途《みち》へと進ませていたらしい。

そして自分は、デスクワークへと。

元々、エミールは人を傷付けたり乱暴なことをしたりするのは好きではなかった。

なので、剣の鍛錬をしていた時は、私を護るため、ということで決して嫌ではなかったのだろうけど、エミールが本当に進みたい道じゃなかったのだろう。

それが、私の消滅と老齢により、ようやく呪縛から解き放たれたのか……。

もし私がいなければ、最初から、好きな道へ……、進めたはずがないな、うん。

まともな職に就けることなく、孤児として、その辺のドブに顔を突っ込んで死んでいた確率が高い。

この歳まで生きられただけで上等、重畳《ちょうじょう》である、ってことだ。だから、私が責任を感じる必要はない。これっぽっちも。

……でもなぁ……。

やっぱ、そう簡単に割り切れるもんでもないよねぇ……。

「ロロットは、フラン姉ちゃんが自分の養女にしてくれて、侯爵家令嬢としてアシル兄ちゃんに嫁《とつ》いで正妻になったよ。ロランド兄ちゃんと結婚する前だから、フラン姉ちゃんがまだ侯爵様の時にね。

アシル兄ちゃんは男爵様になったけど、養女とはいえ侯爵家令嬢、それもあの『救国の大英雄にして大陸の守護神、絶対英雄、勇者フラン。……しかも、間もなく王兄殿下であらせられる公爵様の正妻』の娘だよ、王家にでも嫁入りできるよ……」

あ～、確かに……。

「そういえば、フラン、ふたつも陞爵したんだったよねぇ。平民がいきなり子爵、侯爵と連続2段飛びって……」

「あのねぇ、『救国の大英雄』、つまり、国を救って、平民から子爵様になったんだよ？『大陸の守護神』、つまり大陸全土、全ての国々と、そこに住む生きとし生けるもの全てを救った貴族が、たったふたつしか陞爵していない方が驚きだよ！……まぁ、さすがに、公爵にはしづらかったんだろうけどね」

うん、公爵なんて、王族くらいしかならないはずだ。

それに、どうせすぐに公爵夫人になるから、それくらいどうでも良かったんだろうな。フランセット自身は、そういうのはあまり気にしないだろうし。

「フラン姉ちゃん、その時に、レイエットもついでに養女になるか、って言ってくれたんだけど、レイエットの奴、『私が名乗る姓は、「ナガセ」だけです！』って断りやがったよ。

……まぁ、ロロットの奴も、ロロット・ナガセ・フォン・リオタール、とか名乗ってやがるし、しょっちゅうここに来やがるからなぁ……。新婚の頃に、アシル兄ちゃんが、よく愚痴ってたよ」

そりゃ、愚痴るわなぁ……。

「今は、暇なもんだから、週に1回の寄合には皆勤だよ」

「ん？　アシルは？」

「……生きてたら、何歳だと思ってるんだよ……。そして、この国の男の平均寿命とか、知ってる？」

「…………」

……そうか。

アシルは、私の本気ポーションを飲んだことはない。そして、この子達に託したポーションは、『女神の眼』のメンバー以外の者に使うことも、その存在を明かすことも禁止していた。この子達が、その類いの私の指示を守らないということは、あり得ない。たとえ、自分の命が脅《おびや》かされようとも。

「あと、勿論、フラン姉ちゃんは健在。フラン姉ちゃんがいる限り、どこの国もこの国には楯突《たてつ》けないからねぇ。クソ真面目だから煙たがる人もいるけれど、まぁ、『救国の大英雄にして大陸の守護神、絶対英雄、勇者フラン』だからねぇ……」

「あ～、逆らえんわなぁ……」

王族の方々、ご愁傷様です……。

フランが大陸を救った、っていうのは、別に大活躍をして魔王を倒した、とかいうわけじゃないんだけれど、フランが勇気を振り絞ってセレスに諫言《かんげん》しなければ、本当にこの大陸が海に沈んでいたらしいから、事実であることは間違いない。

フランは、正真正銘、魔王《セレス》の魔の手から大陸を救った、守護神にして英雄、真の勇者なのだ。

「エド達は、どうなった？」

「ああ、当時の俺達には持ち馬を維持できるだけの財力はなかったから、フラン姉ちゃんが3頭共引き取ってくれた。

フラン姉ちゃんとロランド兄ちゃんの馬と一緒に飼ってくれてたんだけど、5頭全てが異常なまでに体力があったから、『御使い様にお仕えしていた、神馬《しんめ》』として丁重に扱われて、繁殖馬として長生きしたよ。

今じゃ、あの5頭の子孫が凄い数に増えて、『シルバー種』としてブランドみたいになってるよ」

あ～……。

うん、分かってはいた。いくらしょっちゅうポーションを飲ませていたとはいえ、馬の寿命で、70年以上は長すぎる……。

でも、長生きして、たくさんの子孫を残せたなら、動物としては本望……、って、馬に先越されてどうするよ！

それに、繁殖馬って、つまり種馬だよね？

浮気か？　奥さんや娘さんは……、って、馬に人間の倫理観を説いても仕方ないか。

人間でも、昔は一夫多妻制は珍しくなかったし、国によっては現代の地球でもそういうところはある。そして牝《めす》が１００頭の仔を産むのは至難の業だけど、牡《おす》が１００頭の仔を産ませるのは、不可能じゃない。

事実、１００人の男子を産ませた、城戸光政《きどみつまさ》という男が……、って、あれは漫画だから『事実』じゃないか。

しかし……。

「エド達は、私が戻らなかった理由を知らないままだったんだよね……。多分、私が死んだと思ってたんだろうなぁ……」

「あ、いや、エド達は事情を全部知ってたよ？」

「え？」

「あの後、２ヵ月くらい経ってから、遠くの国から女性貴族がやってきてね。事情を全て確認してから、エド達に説明してくれたんだよ。

岩を退《ど》けてもカオルの遺体らしきものは発見されなかったから、カオルは損傷したこの世界用の身体を消去して、自分の世界に戻ったのだろう、って」

「え？　それって……」

私以外で、馬であるエドと話ができる女性貴族、って……。

「うん、現在の女神カオル真教ベリスカス支部総括、レイフェル女伯爵。当時はまだ子爵だったけどね。

自分でないとエドに状況を説明できないだろうからと、止める貴族や王族を振り切って、あのカルロスと一緒に来てくれたんだ。……エド殿には大恩があるから、と言って……」

そうか……。

マリアルが、エドのために来てくれたのか……。

マリアルに動物の言葉が分かるようになるポーションを与えたのは、無駄じゃなかったか……。


よし、聞きたいことは、全て聞いた。

みんな、それなりに豊かで幸せな人生を歩んでくれたようだ。

もう、私の出番はない。

じゃあ、私達はこのまま旅に出るか。

レイコと一緒に、ふたり旅。

学生時代は、いつも恭子《きょうこ》と3人だったから、レイコとふたり、というのも、割と新鮮だ。

それじゃあ……。

「待たせちゃってごめんね、レイコ。じゃ、行こうか！」

「うん」

「……待て！　待て待て待て待て待てぇぇぇっ！

このまま帰したら、殺されるわっ！　主に、ベルとレイエットにっっ‼」

知らんがな……。

「いや、私はこのまま去った方がいいよ。せっかくみんないい人生を送ってるというのに、今、私が顔を出せば、またみんなが過去に囚《とら》われちゃうから……。

それに、私が思い出すみんなの姿は、あの頃の姿のままにしておきたいし……」

「…………」

言いたいことは色々あるだろう。しかし、私の言葉に、黙って俯《うつむ》くエミール。

他の者より圧倒的に若く見え、そしてこの世界の平均寿命より遥かに長く生きているエミールには、『老いず、死なない者の悲しみ』、そして『先に逝く者達を見送る者の悲しみ』というものが、少しは理解できているのかもしれない。

そして、どうせ会っても再び同じ刻を過ごすことは叶わないのなら、互いが壮健であることだけを確認し、それぞれが心に思い浮かべる相手の姿は、楽しかった頃のままの方が良いのではないか。

そう考える私の思いが分かってしまうのであろう、エミール。

無理もない。エミールも、既に90歳近い年齢なのである。おそらく、多くの者を見送ってきたのであろう。仲の良かった者も、そうでない者も、大勢……。

まだ、エミールには一緒に同じ刻を歩んできたベルや、『女神の眼』の仲間達がいる。しかし、もしエミールがひとりきりであったなら……。

「……分かった。カオルは女神様なんだから、いつまでも同じ人間のところに留まることは、神界の理《ことわり》からは外れるんじゃないかと思わなかったわけじゃない。色々と考える時間だけは、たっぷりとあったからね……。

だから、カオルの好きなようにすればいい。

元々、俺達にはカオルを縛る権利なんかないし、そんなことをするつもりもない。

カオルはただ、好きなようにやって、この世界を楽しんでくれればいい。そのために、女神としての仕事から休暇を取って、友達である女神セレスティーヌが管理するこの世界に遊びに来てるんだろう？

そして、それによって救われる者がいれば……。

俺達は、既に救われた。だから、もうカオルが俺達のところに留まる必要はない。ただ……」

「ただ？」

「俺だけがカオルに会って話をしたということを知られて、奴らに半殺し、もしくは全殺しにされる俺のために、ポーションをひとつ置いていってくれ！

地下に隠してあるやつは、こんなことには使えないからな……」

あ～……。

そりゃ、あれは『女神の眼』みんなの宝物だろうからなぁ。その効き目が、っていうんじゃなくて、『私から賜った品』という意味で。そんなの、こんな理由で勝手に使えるわけがない。

今までも、『あれを使えば……』っていう場面で、何度も我慢したのだろう。でないと、今まで残っているはずがない。

でも、『全殺し』だと、ポーションが飲めなくて、本当に死んじゃいそうだぞ……。

よし、じゃあ……。

ほいっ、と……。

「危ないと思ったら、これ、飲みなさい。飲んだ後、しばらくの間、怪我が治り続けるポーションだよ」

「ありがたい!!」

そう言って、大喜びでポーションの瓶を懐にしまい込むエミール。

……いや、この時の私は気付かなかったんだ。

いくら折檻《せっかん》してもエミールがすぐに回復するらしいと気付いたみんな、特にベル、レイエットちゃん、フランセット達が凄惨な笑みを浮かべ、『自分だけカオル様とお話ししただけでなく、そんなものまで貰った、裏切り者』をどうするか、なんて……。

いくら殴ってもケロリと治る、っていうのが分かれば、エスカレートするよなぁ、やっぱり……。


「じゃ、元気でね！」

そう言って、立ち去ろうとしたら……。

「……元気も何も、そろそろポックリ逝っても、人生の元は、もう充分に取ってるからなぁ……。それに、そろそろ、うちの実権も若い奴らに譲ってやらないとなぁ……。隠居して、『女神カオル真教総本山』の守り役にでもなろうかな……」

そんなことを言い出した、エミール。

総本山、っていうのは、あの、私があげた家のことだろう。

ま、もういい歳なんだから、隠居してのんびり暮らすのもいいかもね。

……あ。

「ねぇ、『女神カオル真教』って、セレスティーヌを崇める『女神正教』とは対立していないの？　揉め事とかは？　図書館の本には、そういうデリケートな部分は書かれていなかったけど……」

そう、そこを確認しておかないと、知らずに『ＮＧワード』を口にして、揉め事になる危険性がある。

カレーとラーメンと贔屓《ひいき》の野球チームと政治と宗教の話はトラブルの元、というのが、世間の常識だ。……最初の3つは、この世界にはないけれど。

「ないよ」

……って、そんな、簡単に……。

「『女神カオル真教《うち》』は、セレスティーヌ様の『女神正教』から分離した一派、っていうことになってるから。

カオルを『女神セレスティーヌの御寵愛を受けし御使い様』であり、あくまでもただの人間として、聖人のひとりとして扱う『女神正教』に対して、うちは『カオル様は、女神セレスティーヌと同格である、女神の一柱』として扱う、っていうだけの違いだからね。どちらも、女神セレスティーヌとカオルを敬《うやま》う、って点では同じだから。

『女神正教』の方でも、カオルが殉教して天に召された後は、セレスティーヌ様に次ぐ扱いだしね」

……それって、地球の某ふたつの宗教の関係のような……。

「それに、うちは布教はやっていないしね。

俺達、カオルに直接助けられた者、そしてカオルが女神だと知っている者達が、『女神正教』が言うような、カオルはただの人間であり女神セレスティーヌの御使い、っていうのをそのまま受け容《い》れることができずに、自分達だけで勝手にやってるだけだから。

そして、あのフラン姉ちゃんやロランド兄ちゃん、その他諸々の有力者が世話役だったり信徒だったりするのに、手出しする者がいるもんか。別に、勢力を伸ばすだとか、他の宗派の利権を脅かすとかいうわけでもないのに……。

俺達の稼ぎは、純粋な商業活動だけだよ。……そりゃ、カオルのネームバリューのお世話にはなってるけどさ。

カオルに教わった、経済学とか商売のやり方とか、あれを駆使すれば、結構チョロかったよ、金儲けってさ……」

……。

…………。

……………。

こ、コイツら……。

逞《たくま》しくなりやがって……。

もう、本当に、私の出番はない。

……って、90歳近い老人に、小娘が何をしてやるって言うんだよ！

今度こそ、本当のお別れだ。

「ねぇ、やっぱり、一度だけでもみんなと……。今夜の夕食だけでも、一緒に……」

エミールが、やはり諦め切れないのか、そんなことを言ってきたけれど……。

私は、黙って首を横に振った。

『長いお別れ《The Long Goodbye》』、ってやつだ。

日本語訳のタイトルが、あまりカッコ良くないけど。

『さらば愛しき女《いとひと》よ』の方は、素敵なタイトルなのになぁ……。

まぁ、とにかく、引《ひ》き際《ぎわ》は綺麗にしないとね。

「あ、ちょっと待って！」

またまた、私を引き留めるエミール。

「お土産に、これ、持っていってよ。うちの名物、『カオル様煎餅』だよ。みんなの記憶を頼りに、なるべく実物に近付けた力作なんだよ！」

「どうして饅頭《まんじゅう》じゃなくて、煎餅なんだよ！　私の姿は、平面で表現できるということかアアアアッツ!!」

少しは凹凸があるわっっ!!

「カオル、いつになったら出発できるのよ……」

横から、レイコの呆れたような声が。

うるさいわっっ！

第四十七章　新たなる旅立ち

ずるずると長引いたけれど、ようやく出発！

最後に、素顔が見たいというエミールの望みを叶えるために、髪や眼の色を元に戻して、目尻の透明テープを剝がした。

もう、あれから70年以上経《た》っているんだ、素顔を見て私に気付く者なんて、身内以外には殆《ほとん》どいないだろう。……『覚えているかどうか』以前に、『生きているかどうか』という問題で。

そりゃ、絵とかは残っているかもしれないけれど、別に画家に肖像画を描かせたわけじゃない。記憶を頼りに、かなり美化やデフォルメして描かれた絵になっているだろうし。……そう、あの、硬貨に彫られた美化バージョンのように……。

そもそも、身内以外は私のことを『セレスに気に入られただけの、ただの人間』と思っているから、今現在、昔のままの姿で生きているなんて考えもしないだろう。……あの時に、天に召されてセレスの許へ、と思われているだろうし……。

だから、もう変装の必要はないだろう。

一応、身内が生きている場合に備えて変装したけれど、身内には一発で見破られるなら、変装する意味はない。……目尻を下げるテープは、顔が突っ張って、ちょっと鬱陶しいし。

そして、エミールが満足するまで眺めさせてやってから、今度こそ、本当に出発。

薬種屋を出て、『総本山』の前を通りながら……。

えいっ！

うん、あいつらが、私が作った床下の隠し物入れを潰したりしているはずがない。

だから、使用期限無制限の特製ポーションは、今でもあそこに隠してあるのだろう。

なので、その場所に、ポーションを追加しておいた。

みんな、さすがにそろそろ身体にガタが来始めるだろうからね。

結石とかの痛みを我慢せず、ちゃんとポーションを飲んでくれるように。

……若返りのポーションを創ることもできる。

それを、エミール達に与えたら？

……それは違う。

それは、『やるべきではないこと』だ。

私にとっても、……そしてエミール達にとっても。

それに、それを知った権力者達が、黙っているはずがない。必ず、全力で襲いかかってくるだろう。

……不老不死、なんて、どんな災いホイホイかよ、ってことだ。

エミールがみんなに私のことを白状するのは夕食後、とのことなので、それまでにこの街を脱出する時間は充分にある。朝イチで店に来たから、まだまだ大丈夫だ。

なので、中央広場を通って、大神殿の前を経由して郊外へと向かうことにした。そしてそのまま、東方へ。


西へ向かうと、山脈、アリゴ帝国、海。

北へ向かうと、海。

南へ向かうと、アシード王国、海。

うん、東へ行く以外の選択肢がない。

そりゃまぁ、海運大国になったらしいアリゴ帝国の船で海の旅、という方法もないわけじゃないけれど、何だか大変そうだし、一足飛びに遠くの国へ、というのも、風情《ふぜい》がなくて、今ひとつだ。

それに、普通ったルートを辿《たど》り、もう一度この目で今の姿を見ておきたいという気もある。

ここはやはり、ゆっくりと……。

時間はある。

時間だけは、充分にあるのだから。私も、レイコも。

うん、ゆっくりしていってね、ってやつだ……。

身軽な……アイテムボックスがあるし、ポーションを出せるから水は要らないし……、ふたり旅。

歩きでもいいけれど、私達だと、普通の旅人の7割くらいの速度しか出せないよねぇ。疲れそうだし……。

いくらポーションで治せるとはいっても、好《す》き好《この》んで足にマメを作りたいわけじゃない。

かといって、乗合馬車だと運行日程に合わせなきゃならないし、他の乗客達の前で私達が話すのは、内容的に色々と問題がある。

他の乗客達の前で、ここの言葉でヤバい話をするのもマズいが、怪しげな異国語で話すのは、論外だ。怪しまれるし、ここの言葉が話せるのにふたりだけにしか分からない言葉で話すのは、内緒話をしているみたいだし、マナー的にも、どうかと思う。

それに、そもそも、他人と一緒に行動していたら、アイテムボックスの中の食材で料理を作ることもできないし、洗浄ポーションが入ったタンク付きのシャワールームを使うこともできない。それで長旅を、というのは、安穏《あんのん》な生活に慣れた文明人には、ちと厳しい。

なので……。

とか、考え事をしながら歩いていたら、レイコが急に立ち止まったので、私も同じく立ち止まった。

……。

…………。

……………。

「カオル、これって……」

言うな。

「もしかして……」

言うな……。

そう、昔見たままの、大神殿の入り口近くにある巨大なセレス像。

その横に建てられた、凛々《りり》しい女性騎士の像。

……うん、言わずと知れた、救国の、いや、大陸の守護神たる、大英雄サマの像だ。

そして、その反対側に建てられた、眼付きの悪い少女像。

「カオルの……」

「言うなあああぁ〜〜!!」

像の構図的に、どうやら私よりフランの方が扱いが上らしい。

まぁ、そりゃそうか。ただの『女神に少し気に入られただけの、無駄死にした平民の小娘』と、

『大陸全土を救った、救世主にして守護神。上級貴族であり王兄殿下の妻、絶対英雄である勇者サマ』とじゃ、待遇が違うのも当たり前か。

いや、皆の視線がセレスとフランの像に集中して、私の像の印象が薄れるのはありがたいから、文句なんか更々《さらさら》ないよ。

……そして、無言のまま先へと進む、私達。

しばらく歩くと……。

「あ、ここって……」

「どうかした？」

「あ、うん、エド達……私の相棒であり戦友だった馬とその妻子を預けていた、馬屋の牧場だよ。あれから随分経っているのに、全然変わってないなぁ……」

70年以上経っていても、私にとっては、つい先日のことだ。だから、記憶はしっかりしている。

こんなに長い間、殆ど見た感じが変わっていないというのもすごい……、って、あ、管理棟とかはさすがに建て替えられているか……。

そして、……あれ？　あれは生きてる馬じゃなくて、銅像か何かかな？

「ちょっと寄っていっていい？」

「時間はあるし、別に構わないわよ？」

レイコの了承を得て、その銅像か青銅像《ブロンズ》らしきものの側へ近付いていくと……。

「……エド？　と、その家族……？」

そう、そこに立って、いや、建っているのは、エドとその妻子の実物大の像だった。

フランセットとロランドの馬の像がないのは、あの２頭はこの牧場とは関係ないからだろうな。

エド一家は、この牧場出身だと言い張れなくはないから、宣伝に利用されているのか……。

馬の顔なんて全部同じに見えるし、エドは白馬で身体に大きな特徴があるわけじゃないから、本人……、本馬……、実物ならばともかく、絵や像で見分けるのは難しい。

でも、そんなの、関係ない。

これは、エドだ。

エドの像に違いない。

間違えないよ。

……だって、エドだもの……。

私が、立ち尽くして感慨に耽《ふけ》っていると、何やら、エドに少し似た感じの白馬が近寄ってきた。

そして……。

『まさか……、女神、カオル様……？』

「え、私のこと、知ってるの？」

ビックリだ。絶対に初対面のはずの馬が、どうして私を知っている？

「あなたは？」

『おお！　言葉が通じる！　おお！　おお！　おお！

やはり、やはり、あなた様は、我が祖先、シルバー種初代、エド・シルバーの恩人、女神カオル様!!』

感激のあまりか、興奮して身体を震わせている、謎の……ということもないか。どうやらエドの子孫らしき馬。

しかし、代々私のことを語り継ぐとか、馬にそんな知能や文化があったのか……。

『私は、12代目エド・シルバーを拝命しております、「吊り目《ハンギングアイズ》」、通称ハングと申します』

「エド・シルバーって、称号なんだ……。そして、何となく私に対する悪意を感じる名前だな……」

『えぇっ！　とんでもない、「吊り目《ハンギングアイズ》」というのは、もうひとつの名と共に、初代様がカオル様を偲《しの》んで子供にお付けになった、由緒ある名です!!』

あ〜。まぁ、エドが私を表現するのに、他の形容が思い浮かばなかったのだろうな。

所詮、馬の語彙《ごい》力《りょく》だからなぁ。……クソ！

ま、平均6歳で仔《こ》を産むとすれば、12世代で、72年。うん、計算は合うか……。

『おい、ハング、何してるんだ？』

ありゃ、何か、別の馬が近付いてきた……。

『おお！　カオル様、この者が、もうひとつの由緒ある名の後継者、「悪い目付き《バッドアイズ》」です。私と共に、将来、我ら「アイズ一族」を背負って立つ者です！』

「そんな名前《こと》だろうとは思っていたよっ‼」

くそっ！

『他に、シルバー種の中には、名門チェスト一族の「平ら胸《フラットチェスト》」、「胸無し《チェストレス》」、そしてブレスト一族の……』

「うるさいわっっ‼」

くそ、エドの奴《やつ》！　絶対に、置き去りにされたと思って、怒って嫌がらせをしやがったな‼

まぁ、馬の言葉での話なので、人間達からそういう意味の名前で呼ばれているわけじゃないのだけは、救いか……。

『カオル様だと！　じゃあ、アレか？　「シルバー種の栄光の日々」が、再びやってくるのか？　それも、俺達の世代に、我らアイズ一族の元に……。

黄金の日々が……。おお！　おお！　おお！』

何か、勝手に話が進んでいるぞ……。

「いや、懐かしかったから、ちょっと寄っただけだよ。エドの子孫が繁栄してるのは嬉しいな。

……ちょっと、繁栄し過ぎなような気もするけど……」

地球では、現時点において生存しているサラブレッドは全て、父系を遡ると3頭の馬のどれかに行きつくらしい。エドも、『シルバー種』とやらの、全ての馬の先祖となったのか。

……何て羨ましい奴……。

くそっ!!

「じゃ、さよなら。みんな、元気でね！」

そう言って、立ち去ろうとすると……。

『待て！　待って下さい！』

『逃がさん！　逃がさんぞオオオオォ～～！　出合え！　者共、出合ええええええぇ～～!!』

突然2頭が大声で叫んだかと思うと、放牧されていた馬達が一斉に、こちらに向かって全速で走ってきた。

……怖いわ!!

そして、あっという間に馬達に取り囲まれた、私達。

『お供させていただきます！』

え？

てっぽん
おそら

『初代様の遺言です！　もし再び、女神カオル様が御降臨されたならば……』

ええっ！　エドの奴、そんな遺言を……。

もし私が再びこの世界にやってきた時には、自分の代わりに、自分の子孫を私に仕えさせようと考えて……。

やっぱり、エドの奴、私のことを……。

『「いい目を見せてもらえるから、食らい付いて、絶対に逃がすなよ!!」と……』

……うん、そんなことだろうと思った……。

『そういうわけで、お供させていただきます！』

『勿論《もちろん》、俺もだ！　この牧場にいるアイズ一族の中で、「吊り目《ハンギングアイズ》」と並んで、「悪い目付き《バッドアイズ》」の名を受け継いだ俺を連れていかないとは言わせねぇ！　そっちもふたりだから、文句はあるめぇ！』

えええ〜……。

『もし、連れていかないなどと言われるのであれば……』

「言われるのであれば？」

『『この場で、死んでやるううぅぅ〜〜!!』』

あ〜……。

でも、まぁ、気持ちは分からないでもないか。

初代様《エド》から言い伝えられている私が現れたというのに、相手にされずに置き去りにされたとか、そりゃ末代までの恥だわなぁ……。

レイコの方を見てみると……。

こくり。

頷《うなず》かれた。

レイコも私と同じく、『あらゆる言語の会話と読み書き』の能力を貰っているから、話の内容は理解している。

「当然、それくらいの準備はしてるわよ。乗馬クラブに通ったし、鞍を着けていない裸馬にも乗ったし、ロデオの荒馬《ラフストック》に乗る競技もやったわよ」

あ〜。

それに、確かに歩きでの長旅は辛いよなぁ……。

どうせ馬を買うなら、知らない馬より、エドの子孫の方がいいか。

でも、コイツら、この牧場で一番上位の馬じゃない？　吹っ掛けられそうな気がするなぁ……。

ま、いいか。前世……じゃないな、前回……でもないか、第一シーズン……から持ち越した、アイテムボックスの中の金貨は半端ない枚数だし、私にとっては大した金額じゃない。

よし！

「あなた達、馬車を牽《ひ》く、ってことに抵抗はない？」

『おおお！　戦車《チャリオット》ですね！　エド様の言い伝えにあった、神馬のみが牽けるという、あの伝説の、女神の戦車！　おおおお、何たる光栄!!』

『牽く！　牽くぞオォ！　牽くなと言われても、牽きまくるぞオオオオォッッ!!』

決定か……。

「じゃ、ちょっと交渉してくるから、待っててね」

『『お供いたします！』』

交渉は人間の言葉だから、聞いていても理解できないだろ、キミタチ……。

ま、いいけどね。


「というわけで、この2頭を売っていただきたいのですが……」

「何が、『というわけで』だよ！　しかも、うちの2枚看板じゃねぇか！」

そう、考えたら、馬を売ってくれ、と言っても、どの馬か分からなければ交渉もできないから、2頭が私達のうしろをポクポクとついてくるのをそのままにして、管理棟までやってきたのだ。

そして、私達がドアを開けて建物の中に入ると、一緒に入ってきたのである。馬にとっては小さな入り口から、無理矢理……。

そりゃ、管理人が大慌てで飛んでくるわな……。

そして、今に至る、ってわけだ。

「駄目駄目！　たとえ子供の戯《ざ》れ言《ごと》じゃなくても、うんとは言えねぇよ。この２頭は現在最も始祖の血が濃く現れている、貴重な馬なんだよ。繁殖馬として、これからたくさんの牝《めす》をはらませ……子作りに励んでもらわなきゃならないんだ、いくら金貨を積まれようが、駄目なものは駄目だよ！」

子供にあまり生々しい言葉を聞かせるのはどうか、と思ったのか、途中で言い直した管理人。

そして、一応、子供の悪戯《いたずら》として頭ごなしに怒鳴りつけることなく、ちゃんと相手をして説明してくれた。おそらく、優しい人なのだろう。

……でも、とりつく島がない、という点では、大して変わらない。

『売らない、《ヒヒン、ブヒヒンヒヒン》って……』

だんっ！

だんっ!!

「うわあああっ！」

机の上に、ハングとバッドの前脚が思い切り振り下ろされて、管理人のおじさんが椅子ごと後ろにひっくり返った。

「馬と会話……？　ま、まさか、レイフェル女伯爵……、いや、眼付きが悪いとは聞いているが、あのお方は確か凄い高齢で、『妖怪』とか呼ばれていたはず……」

……え？　いや、高齢はともかく、眼付きが悪い？

いや、そういえば、確かに時々悪党顔をしていたような気が……、って、そうだ！

「あら、偉大なお祖母様《グレート・グランマ》を御存じなの？」

「ひっ……」

お、効いてる効いてる！

『カオル様、「シルバー種、三つの誓い」って言ってやんな！　確か、初代様と当時のここの責任者、そして「眼付きと根性の悪い女貴族」の三者で取り交わされた約束がある、って言い伝えが残ってる。俺達の間に口伝《くでん》が伝わっているんだから、そいつの方にも伝わってるんじゃねぇか？』

バッドが、何やら不思議な呪文を教えてくれた。

これは、使うしかあるまい！

「シルバー種、三つの誓い!!」

「え……」

愕然《がくぜん》とした顔の、管理人。

「ま、まさか……。そ、それは、ただのお伽噺《とぎばなし》の……」

『『『『ぶひひ～～ん《ばんざ～～ぃ》！　ぶひひ～～ん《ばんざ～～ぃ》！』』』』

＊　＊

歓呼の声に送られて、ハングとバッドに乗って牧場を去る私達。

勿論、見送ってくれているのは、たくさんの馬達。

……まぁ、管理棟の人達も見送ってはくれているけれど、みんな、呆然《ぼうぜん》としているか、がっくりと肩を落としているかで、元気がなく声も出していない。

……いや、ごめん。

＊　＊

「そろそろいいかな……」

「え、何が？」

「いや、街から充分離れたし、人もいないようだから、そろそろ馬車を出そうかと……」

そう、ふたりとも馬には乗れるけれど、騎乗で何日、何十日も旅をするのは、ちょっと辛い。

なので、馬車の旅にしようと思うのだ。

馬車ならば、雨が降っても大丈夫だし、野営の時には中で寝ることもできる。

いや、勿論、雨の中をハングとバッドに歩かせたりはしない。すぐに木陰かどこかで雨宿りさせるよ。

「ああ、戦車《チャリオット》とか言ってた……」

「いや、それとは別のやつ。あれは……」

そう、あれは、エドが牽く馬車だ。他の馬には、牽かせるつもりはない。

「あれは1頭立てだし、私と、幼児だったレイエットちゃんのふたり乗り用だから小さくて狭いし、騎乗の仲間がいたから、その中でどうこう、というつもりもなかったからね。

今度は、中でのんびりできて、寝ることもできるやつにしようかと……。

それと、乗ったまま街に入れるよう、目立たないように……」

うん、戦車《チャリオット》は、カッコ良く作ったせいで、ちょっと目立ち過ぎたよ。

「何か、馬車について要望とかある？」

「ううん、特にない。カオルの好きなように作って頂戴。

……あ、勿論、お尻が痛くないようにね」

何か嫌な思い出でもあるのか、そう言いながら顔を顰《しか》めて、自分のお尻を撫《な》でるレイコ。

まぁ、地球の馬車も、完璧というわけじゃないだろうからなぁ……。

では……。

「ぶひ《いでよ》！　ぶひひぶひ《めがみのばしゃ》!!」


うん、馬の言葉で呪文を唱えたのは、ハングとバッドに対するサービスだ。

これで、出てきた馬車が『女神の乗り物』であると理解できるだろう。

今回は、目立たないように外見を普通の馬車に似せたため、がっかりされることを心配しての配慮だ。何か、馬車に対して過大な期待を抱いていそうな気がしたからね。

そして……。


どん！


出ました、新たなる馬車！

ちゃんと、車内に飲み物《ポーション》が入った小さな樽が備え付けてある。

……いや、それがないと、馬車自体が『ポーションの容器』にならないからね。

そして、外見は普通の小型馬車に似ているけれど、その正体は……。

車体構造の大部分は、軽くて丈夫なカーボンナノチューブ製。

そして一部は、チタン製。チタンは利点が多いけれど、製錬・加工が難しく、費用もかかるため大規模な普及は難しいが、完成品が出せる私にはそんなデメリットは関係ない。

本当は、望めば地球には存在しない素材で作られたセレス特製のスーパー馬車が作れるのかもしれない。でも、まぁ、そこまで要求しなくてもいいだろう。一応、矢や槍は通さないようにできているし……。

御者台もあり、街に入る時はここに座って御者をやっている振りをする。

勿論、実際には、『音声誘導方式《ことばでしじする》』だ。

ひとりで座るのは寂しいから、御者台はふたり並んで座れるようになっている。

そして、御者台から直接入れる客室は、小さなテーブルを挟んで、前向きのふたつの席と、後ろ向きの3人掛けソファーが向かい合っている。

前向きの席は、ヘッドレストまで付いた、身体全体を包み込むように支えてくれるやつ。

うん、腰は大事にしなきゃね。

そして、リクライニングをいっぱいに倒せば、そのまま安眠できるという優れ物だ。

これで、野営時にも、馬車の走行時にも眠れる。

いや、安全のため、走行中は勿論ふたりのうちどちらかは起きているけどね。

勿論、ハングとバッドの期待を裏切らないよう、レバー操作で何本もの刃《やいば》が飛び出るようになっている。この仕掛けがないと、材質以外は普通の馬車だからねぇ……。

いや、勿論、スプリングとか車体構造は別物だけど、見た目は、ってことね。

刃に実用性は殆どないだろうけど、ただ単に、ハングとバッドを満足させるだけのためのギミックだ。

今回は2頭立てなので、これでも普通の馬車よりはかなり軽いから、ハングとバッドの負担は小さいだろう。

まぁ、エドが最初あんなに抵抗した『馬車馬』という立場に対する抵抗感が少ないみたいだから、問題はないだろう。

……というか、もしかして、これを見越してエドが『神馬《しんめ》にしか牽けない、女神の馬車』という噂《うわさ》を広めてくれた？　いやいや、考えすぎか？

でも、エドは結構義理堅くて気の回る奴だったしなぁ……。

あ、いかん、またしんみりしてきた……。

エドは、私がエドのことでしんみりするより、大笑いしていた方が喜んでくれるだろう。あいつは、そういう奴だった。何せ、４年半の付き合いだからなぁ……。

馬にとっての４年半は、人間に換算すれば18年くらいか。出会った時、エドは６歳だったから、人間の24歳相当。24歳相当から42歳相当までって、人間だと、殆ど『人生を共にした』って感じだなぁ。

……で、ハングとバッドの反応は……。

『おおおお、これが、女神の馬車……』

『遂に、俺達が女神の馬車の牽き手、神馬に……』

何だか、感涙にむせび泣いてるなぁ……。

でも、嘘《うそ》を吐《つ》くのは嫌だから、正直に言っておこう。

「それは、エドが牽いていたのとは違う馬車だよ。あれは、エドだけの馬車だから……。だからそれは、あなた達ふたり……2頭のために新しく造ったものよ。なので、2頭立てになってるでしょ？」

偉大なる御先祖様が牽いたものとは別物、と聞いて、がっかりするかな……。

『えええ！　我らのために、新たに馬車を！　ということは、我ら専用の馬車ですね！　我ら亡き後は、エド様の馬車と並んで神界に永久保存されて、我らの功績が永遠に……』

『おお！　おお！　おお‼』

喜んでるなら、ま、いいか……。

「それじゃ、行こうか。搭乗！」

何か、巨大ロボットに乗り込む戦隊ヒーローみたいな掛け声で、レイコと一緒に馬車に乗り込んだ。幅が広い主要街道を真っ直ぐ進むだけなら、私達は客室《キャビン》でいいだろう。

すれ違う旅人達が無人の御者台を見て驚くかもしれないけれど、別に大したことじゃない。よく訓練された馬だとか、客室内から細いロープで馬を操っているだとか、新型の軍用馬車の試験中なので、探ろうとする者は他国の間 諜《かんちょう》と看做《みな》される、だとか言えば、変に絡んでくる者もいないだろう。

前向きに設置された2脚の椅子……何か、ゲーミングチェアみたい、というか、私がそうイメージしたからこうなっているのだろうけど……に、それぞれ座り……。

「発進！」


「…………」

「…………」

「「……………………」」


「動かないわよ？」

「動かないねぇ……」

どうして……。

『カオル様、どうやって牽けばいいんで？』

外から、ハングの声が聞こえた。

……あ、馬を馬車に繋《つな》いでないや……。

「……というわけで、ここをこうすれば、金具が外れるからね」

『『………』』

ハングとバッドを馬車に繋いでから、２頭が自分でハーネスを馬車から外す方法を説明した。

身体からハーネスを外すより、その方が馬の前脚で操作しやすいと思って、そっちが外れるようにしたのである。

旅の間、盗賊や魔物に襲われたり、馬車が崖から転落したりするかもしれない。そんな時、自分で馬車からハーネスを切り離せれば、助かる確率が上がるだろう。そう思って、そういう機構を取り付けたんだけど……。

何やら、２頭の機嫌が悪い。どうして？

『ま、まさか、俺達が乗客を見捨てて逃げるとか、そんなことを考えているんじゃねぇだろうな！』

え？

『乗せているのが女神様だとかは関係ねぇ！　俺達が、運んでいる人間を置いて逃げるとか、そんなことを考えているんじゃねぇだろうな、って言ってんだよ‼』

あ～、職業的なプライドを傷付けちゃった？

バッドだけでなく、丁寧な……馬としては……言葉遣いをしていたハングまでもが、少し荒い言葉遣いで、不愉快そうな様子を露《あら》わにしている。

そうだ、エドも、私がエドの矜持《きょうじ》を傷付けるようなことを言ってしまった時は、本気で怒ってた。エドもその家族も、矜持を大切にする連中だったよ。

……いかん、マズった……。

「そ、そんなことはないよ！　もし賊や魔物に襲われた時、ハングとバッドが自分でハーネスを馬車から外して客室の真横に来てくれれば、私達が馬車を捨てて騎乗で逃げられるじゃない！　自分の判断で馬車を切り離せると自由度が高くなって、色々と便利だよ。

そう、それだけハングとバッドを信用して、頼りにしてるってことだよ！」

『……そ、そうか？』

『うむ、そういうことであれば、自分で切り離す判断をすることを受け容れるのは、吝《やぶさ》かではない……』

……チョロい。

まぁ、本当は、敵に追われて逃げる時に馬車が横転したり、崖から落ちたり、魔物に囲まれて馬車を盾にしたり、そして私とレイコが馬車を捨てて逃げ出したりする時に、ハングとバッドが自分で逃げられるように、なんだけどね。

エドの子孫を、簡単に死なせたりはしないよ。

そして、ようやく出発。

しばらく客室内でレイコと話していたけど、先に馬車のことを把握しておいた方がいいかと考えて、ふたりで御者台へ上がった。御者役として、普通に馬車を操作している振りをする必要もあるから、その練習もしておかなくちゃ……。

『おお、カオル様、御者がお出来になるので?』

『カオル様、そんなのやらなくても、ちゃんと歩くぜ……』

ハングとバッドがそんなことを言ってきたけど、何か、ムズムズする感じが……。

……あ、そうか、エドは……。

「ねぇ、私のことを『カオル様』って呼ぶの、やめてくれない？」

『え？ では、女神様、とお呼びすれば？』

「いやいや、普通に、『カオル』とか、『じょ』……」

『『じょ？』』

……エドは、私のことを『嬢ちゃん』って呼んでた。

でも、自分で『嬢ちゃん』って呼べ、ってのも、言いづらい……。

「いや、何でもないよ。好きに呼んで……」

『分かりました、カオル様』

『分かったぜ、嬢ちゃん！』

「え……」

ハングは、今まで通り『カオル様』と。でも、バッドは……。

最初から、ハングは少し堅い喋《しゃべ》り方、そしてバッドは軽いというか、ざっくばらんな喋り方だった。そう、エドのように……。

『ばっ！　お前、そんな不敬な！』

ハングがそう言ってバッドを叱りつけたけど……。

「ううん、それでいいよ。いつも畏《かしこ》まった喋り方だと、肩が凝っちゃうからね」

『おうよ！』

『…………』

ハングは少し複雑そうな顔をしているけれど、別に、両方が同じ呼び方をする必要はない。それぞれ好きな呼び方をしてくれればいい。

それじゃ、とりあえず、東へ向けて……。

「しゅっぱぁ～つ！」

「……で、名前は何にするの？」

「え？　名前って？」

レイコが、急に何やら聞いてきた。

「だってあなた、昔から自転車だろうがスノボだろうが蹴りながら帰った小石だろうが、何にでも名前を付けてたじゃない。どうせこの馬車にも名前を付けるんでしょ？　ただの『馬車』じゃあ、私達の愛車として可哀想だしね」

「うっ……」

そう、昔から私は、愛着のあるものには何でも名前を付けていた。

エドの馬車は、このあたりでは同じ名で呼ばれるものがない『チャリオット』という呼び方があったから、改めて名前を付ける必要がなかった。

けど、今回は普通の馬車っぽい外見だから、この、私達の馬車だけを指す名前を付けてあげなくちゃ、とは思っていたんだ。

うむむ……。

よし！

「『神の戦車《メルカバ》』にしよう！」

「外国の戦車の名前？」

「いや、元ネタが同じなだけで、そっちも元々『神の戦車』って意味だよ」

うん、あまり長い名前も面倒だし、ここの言葉で『女神のなんちゃら』なんて名前を付けると、人様に聞かれたら大変だ。……主に、羞恥的な意味で……。

そしてしばらく走ると、陽が落ち始めた。

「今日は野営でいい？　次の宿場町までは少し距離があるし……。牧場での買い取り手続きで、かなり時間を喰ったからなぁ……」

「うん。テントでもいいけど、馬車での寝心地を確認しておきたいからね。未使用のものは、余裕がある時に試しておくのが鉄則だからね」

さすが、石橋を叩《たた》いて壊す女、レイコ。

そして、適当なところで街道を外れ、街道からは見えない、雑木林の少し奥へ……。

街道から丸見えのところで若い女性ふたりが野営とか、犯罪者ホイホイにも程がある。ちゃんと、野営しているのが見えないようにするのは、鉄則だ。

今夜はレイコの提案で、テントは張らずに馬車で寝る。なので、時間があるから料理はアイテムボックスの完成品ストックではなく、ちゃんと作ることにした。

椅子とテーブル、調理台、簡易かまどに水タンク、調理器具と材料を出して、手際よく調理。

ハングとバッドは、ハーネスを外して自由にしてやり、混合飼料とニンジン、トウモロコシ、リンゴ、角砂糖、そしてお馴染み、ポーションを与えた。

『おおお、これがかの有名な、伝説の……』

『うむ、これで我らも、エド様と同じ立場に……。開祖様と同じ場所に立てるとは、何たる僥倖《ぎょうこう》、何たる栄光!!』

ありゃ、涙ぐんでるよ……。馬って、滅多に涙を流さないんじゃなかったのかな。確か、以前エドがそう言っていたような……。

でも、ま、喜んでくれているようで、何よりだ。

そして、レイコと一緒に夕食を摂り、食後のコーヒーの準備をしようと、アイテムボックスを開くと……。


ぴよぴよぴよぴよぴよぴよ！　ぴよぴよぴよぴよぴよぴよ！　ぴよぴよぴよぴよぴよぴよ！


「ありゃ？」

「何？」

「子供達……、今はもう、みんな年寄りだけど……、『女神の眼』のみんなからの連絡の着信音、なんだけど……」

湧き上がる、嫌な予感。

私の嫌な予感、悪い予感は、当たるんだよねぇ……。

というか、今回のこれは、既に『予感』じゃない。確定した事実に過ぎないよ。

でも、出ないわけにはいかないよねぇ……。

そして私は、渋々、アイテムボックスから『音声共振水晶セット』の片割れを取り出した。

そう、最初にバルモア王国を出奔する時に、『女神の眼』のみんなに対《つい》になったもう片方を渡しておいた、連絡用の『ポーション容器』である。

「はい、こちらカオル……」

恐る恐る、『音声共振水晶セット』の通話部分に向かって話し掛けると……。


『ふざけないでくださいよおおおおぉ～～!!』


いきなりの大音量に、耳が、キィ～ン、と……。

『どうしてエミールにだけ会って立ち去るのですか！　いったい、何考えているのですかっっ!!』

あ～、この声、フランセットかぁ……。

エミールの奴、怒られるのは1回で済ませようとか考えて、夕食にフランセットを呼んだな……。

そして、食後に私のことをみんなに公表、と……。

「あの～、エミールは……」

『私の後ろで、ベルやレイエット達にボコボコにされてますよっ！』

あ、やっぱり……。

みんな、もういい歳なんだから、あまり無茶は……。

「カオル、多分今考えているであろうこと、声に出して言ってあげなさいよ……」

さすがレイコ、私と恭子限定の読心術は健在か……。

そして、レイコにとってのエミールは、1回会っただけの、ただの老人だ。酷《ひど》い目に遭っているのを気の毒に思うのは当たり前か。

うん、レイコはフランセットやベル、レイエットちゃん達を知らないからなぁ……。

『さっさと戻ってきてくださいよっ！』

とても女神様に対するものとは思えない態度の、フランセット。余程怒り狂ってるんだろうなぁ……。

でも……。

「……ごめん」

そして、しばらく無言の刻が流れ……。

『すみません、無理を言いました……』

「え？　フランセットじゃなかったの？　さては偽者？」

『誰が偽者ですかっ！　私も、もういい歳ですよ、昔とは違いますよっっ‼』

「あ～、ごめん。私にとっては、つい数日前のことだから……」

そう、私にとってのフランセットは、すぐにムキになったり逆上したりする、割と沸点の低い女性だ。

そしてまた、無言の刻が……。

こういう時の時間って、無茶苦茶長く感じるからね！

『色々と、ありがとうございました。そして、幸せな人生を授けていた、いた、戴《いただ》き……』

嗚咽《おえつ》で喋れなくなった、フランセット。

あ、駄目だ。

こういうの、弱いんだよ……。

なんか、こう……。

『いつまでひとりで独占してるのですか！　さっさと交代してくださいよっ！』

……ん？　誰だ？　聞き慣れない声だけど……。

『カオルおねーちゃん!!』
レ、レイエットちゃんかあああぁ～～っっ！
幼児の時の声と喋り方しか知らないから、そりゃ、分からんわ……。

フランセット、レイエットちゃん、そしてエミール達『女神の眼』の連中と、一通り話をした。

うん、まぁ、みんなもう子供じゃないし、長い時間が経っているから、愁嘆場《しゅうたんば》というほどのことはなかった。みんな、いい歳だし、悲しむ時間はとっくに過ぎて、風化しちゃったんだろうな……。

それに、今更会ったところで、今度は私が、孤児ではなく老人となったみんなの世話をする、というわけにもいかないだろう。それは、それぞれの孫やひ孫達にお願いしたい。たくさんの子孫を作ったんだろうが！　ケッ！

今はただ、昔を懐かしみ、互いの壮健を喜ぶだけだ。

喋り、喋り、喋り尽くして……、静かになった『音声共振水晶セット』の片割れを、そっとアイテムボックスに戻す。

そして、自分に背を向けて草むらに横たわった私に何も言うことなく、レイコもまた、少し離れた場所の草むらに横になったらしき音がした。多分、私に背を向けているのだろう。

今夜は馬車で寝る、という話だったけど、どうやらこのままここで寝ることにしてくれたらしい。

馬車の座席《シート》だと、近すぎて、私のすすり泣きが聞こえてしまうかもしれないから。

……うん、レイコは、そういうヤツだ。

私の、たったふたりしかいなかった親友のうちのひとり、久遠礼子《くおんれいこ》。

そして今は、ただのレイコ。

……私の、親友だ……。

＊　＊

「復活ぅ！」

翌朝、元気に目覚めた私。

レイコが呆れたような顔で見ているが、気にしない。私の図太さと立ち直りの早さを知らないような仲じゃなし。

動物は朝が早いから、ハングとバッドも既に起きている。朝食と水を出してやるか。

起きてすぐに出発、というのも何か身体に悪そうな気がするから、作り置きのご飯をアイテムボックスから出すんじゃなくて、ちゃんとお湯を沸かすとこから始めるか……。

出そうと思えば直接お湯を出すこともできるけど、それじゃあ、あまりにも風情がない。

まぁ、そうは言っても、石でかまどを組んだり薪集めから始めたりするわけじゃなくて、キャンプ用のマイクロカセットコンロを使うから、簡単だけど。

一応、アルコールや灯油、ガソリン等を燃料とするキャンプ用ストーブ各種とか、ウッドストーブとかも『容器』として出してアイテムボックスに入れてあるけど、今はカセットガスのでいいや。一番簡単で手軽だから。

……どうしてそんなに色々な種類のキャンプ用ストーブ（コンロ兼用）を出したか？

キャンプ用品に憧れてたんだよ！　1回も行ったことないけど、そういう道具の本は何冊か買って読み込んでいたんだよ、悪いか！

……水も鍋も、アイテムボックスから。『水がはいった鍋』とかをいちいちその場で創るのは面倒だし、そんなことをすると、どんどん鍋が溜まっていく……。

いくら容量無限とは言っても、中に安物の鍋がぎっしり詰まっているアイテムボックスとか、何か、ヤダ。


そして、私がちゃちゃっと作った朝食を摂りながら……。

「昨日は、ゴメン。昔の仲間と喋ってばかりで……」

レイコには、ちゃんと謝っておかなくちゃ。

そんなことを気にするようなレイコじゃないのは分かっているけど、だからこそ。

そう、謝らなくても問題がない相手だからこそ……。

「ううん。カオルにとっては、大事な人達との別れだからね。私は、これからずっと一緒にいられるから、昨日の時間をあの人達に充てるのは当たり前でしょ」

レイコがそう言ってくれるのは分かってた。

私が死んで、地球の神様にお願いして夢の中でお別れした時、ほんの少ししか時間がなかったからね。お別れの時間、というものについては、よく分かってくれているはずだ。

……でも、言っておくのと言わないのとでは、大違いだ。何も言わなくても分かってくれる親友だからこそ、きちんと言葉にしておきたい時もある。

あ、そうだ……。

「ねぇ、レイコが貰った魔法の力って、食べ物とかキャンプ用品とか銃とか戦車とか、出せるの？」

うん、それを聞いておかなくちゃね。

魔法って言ったたって、おそらく人間が想像するところの、本当の『魔法』じゃないだろうから。

多分、私の場合と同じく、セレスの下請けか孫請けの『セレスより下位の生命体』か、高性能な自律型機械《ロボット》か人工知性体が担当して、その度に何やらチョチョイと科学的に操作してくれるんじゃないかと思うんだよねぇ……。

今まで、レイコの魔法って、出会った時の水魔法……燃えてる私の火を消すためのやつ……以外は、見ていない。

燃えろ、いい女……、って、うるさいわ!!

「出せないわよ！　それって、普通の魔法じゃないでしょ！　あまりにもメチャクチャで、魔法の域を超えた『何でもアリ』じゃないのよ。

魔法が何でも使える、って言ったたって、普通に、火魔法、水魔法、風魔法、土魔法、とかよ。空間転移とか創造魔法、死者蘇生とかの『調子に乗りすぎたヤツ』は、さすがに駄目だって……」

「あ、やっぱり……。セレスも、そこまでアレじゃなかったか。ま、空間をねじ曲げる魔法なんて、『歪《ゆが》み』の発生原因になりそうなものの筆頭だから、当たり前か……」

一応、セレスのことを悪い言葉で形容する場合は、ボカすようにしている。また木桶を落とされちゃ、堪らないからね。……かなり痛いんだよ、アレ……。

そして、やっぱり予想通りか。

だって、『魔法で、無制限に何でもできる』とかだと、『創造魔法だ』とか、『異世界ネットスーパー魔法だ』とか、『次元転移魔法だ』とか言えば、何でも作れるし、地球のものを取り寄せたり、そして地球と行き来できたりしてしまう。

さすがに、それは無茶だろう。セレスがそんな条件を呑《の》むとは思えない。

ま、普通に『俺ＴＵＥＥＥ！』ができる程度の能力、ってことか。

いや、それでも、水と火を出せる時点で野外活動は何とでもなるだろうし、強力な攻撃魔法が使える時点で、盗賊に襲われても安心か。言語理解とアイテムボックスは、私と同じらしいし……。

チートやんか!!

ま、私にだけは言われたくないだろうけど。

私は、多分出せる。戦車型容器とか、銃器型容器とか……。

出しても、それの使い方が分かんないけどね。

戦車の操縦も、戦車砲の照準や発射操作も、できるわけがないよ。戦闘ヘリとか出しても、飛ばせられないし……。

セレスも、私の件で懲《こ》りたのか、知恵を付けて、あまり酷いチートは与えないように……、って、アイテムボックスだけでも充分酷いチートか。物流業界とかに致命的な……。

ま、私達がそういうのを利用した商売とかを始めなきゃ問題ないか。

魔法が『研究室での小規模実験』程度しか観測されていないこの世界じゃ、レイコが使える魔法だけでも、充分チートだ。そして……。

「レイコの魔法って、この世界じゃ『魔女』だとか、『悪魔の仕業』だとか思われて、迫害されたり狩られたりしない？」

「あ……」

魔法が無きに等しい世界での、火魔法やら水魔法やらの行使。しかも、主に破壊や攻撃の方向での使用。

そしてこの世界には、女神が実在する。そのため、それに対応する存在として、実在しないし誰も見たことがないにも拘《かかわ》らず、悪魔の存在もまた、実在するものと考えられている。

「「…………」」

ヤバい。

「「………」」

ヤバ過ぎだ……。

私が、色々と面倒に巻き込まれながらも、そして数々の超常の力を使ってみせても多くの人々に助けられて結構ヌルい生活をしてこられたのは、私がセレスの御使い《パシリ》だと思われていたからだ。それが今度は、その真逆、セレスの敵対者である悪魔の手下《パシリ》だと思われたら？

うん、楽しい魔女狩りパーティーの始まりだ。メイン料理は、火炙り《バーベキュー》とか……。

「絶対安全な立場を手に入れるか、目撃者は全員確実に皆殺しにできる場合を除いて、人目に付く場所では魔法を絶対に使わないように！　……但し、緊急時を除く」

こくこく！

うん、レイコにも危機感を持ってもらえたようで、何よりだ。

でも、そうすると、私達は『護衛なしで未成年の少女ふたりが馬車で旅をしている』という、盗賊どころか、普段は普通に働いている商人や旅人、田舎の村人達でさえ思わず良からぬことを考えてしまいそうな、絶好の獲物に……。

何せ、馬車の車体と馬2頭、ってだけでも結構な金額だ。それを小娘ふたりが、ってことは、当然、危険というものに無頓着な金持ちの馬鹿娘ってことになる。即ち、現金や宝石を持っていたり、身代金がたっぷり取れたり、人買いに売り飛ばしたり……。

……イカン、獲物として、あまりにも美味《おい》しすぎるぞ。

いや、それは、元々そうか。

レイコの魔法で追い払えるかどうかなんて、襲われた後にならないと相手には分からない。

そう、元々、私達は絶好の獲物だったのだ。

な〜んだ、あっはっは！

……じゃね〜よ!!

イカン、何とかせねば。『襲われにくくすること』と、『襲われても、自分達が困ったことにならないようにして敵を排除する』ということの、両面で。

「よし、武装を強化しよう！」

そう、それしかなかった。

しかし、小娘ふたりしか乗っていないのに襲撃を躊躇うような外見で、そのまま街に入っても悪目立ちしないような馬車。

ハードル、高〜い……。

う〜ん、どうすれば……。

ハングとバッドを仲間外れにしないようにと、馬語でレイコとふたりで色々と討議していると、後ろからハングが声を掛けてきた。

『あの〜、それって、無理に一台に纏《まと》めようとしなくても、街道を走る時と街に入る時とで、乗り換えては駄目なのでしょうか？』

「「あ……」」

まさか、馬に知恵で負けるとは……。

斯《か》くして、３台の馬車を使い分けることとなった。

街道を進むための戦闘装甲車、『パンツァー』。内装はメルカバとほぼ同じで、軍用の装甲馬車みたいな外見で、外部に槍や剣がこれ見よがしに積んである。

そう、もし何かあれば、中から兵士が飛び出してきてそれを使って戦うぞ、というハッタリである。車内に長い槍や剣を出し入れするのは面倒だから、車体外部に括《くく》り付けてある、ということで……。

そして、各方向に対して銃眼があけられている。

勿論、そこからは銃弾ではなく、レイコの火魔法や水魔法が放たれる。

魔法攻撃には別に銃眼は必要ないが、これは、『この穴から霧状にした油を噴出させて火を付けた』とか、『ポンプで水を勢いよく噴き出させた』とか言って誤魔化すための、欺瞞《ぎまん》用である。詳細は機密事項だと言って、説明拒否。

メルカバは、そこまで危険ではない時や、他の馬車と同行する時とかに使おう。あまり他の馬車と較べて浮かないように……。

そして街中で使うための、中堅商家一家が使うような、小型で少しお洒落な感じの小型馬車、ペネロープ号。その名に反して、車輪数は6輪ではなく、4輪である。

よし、準備完了!

東方へ向かって、しゅっぱぁ～つ!!

第四十八章　東方へ

「……で、目標は？」

「敵、超巨大戦艦！」

「…………」

「「…………」」

いかん、スベった……。

「東方へ。私と直接会ったことがある人達は殆《ほとん》ど生きてはいないだろうけど、このあたりの国は色々と昔のしがらみとかもあるから……。

昔のことはそのままそっとしておいて、レイコとふたりで新しい生活基盤を作るなら、この半島部の国じゃなくて、ずっと離れた場所がいいかな、って……。

それなら、私達にとって全くの新天地だから、ふたりでイチからスタートできるし、昔の私のことも、殆ど伝わっていないか、伝わっていたとしても原形を留めないほど変容したデマ同然のような話になってるだろうから、私のことがバレる心配もないし。

適当な場所を見つけたら、そこに腰を落ち着けて、しばらく住んでみようよ。気に入らなきゃ、また旅に出ればいいんだし。

……ま、時間はたっぷりあるんだからね」

そう、この世界の情報伝達には非常に時間がかかり、そしてその間に内容が大きく変容する。噂《うわさ》話なんか、すぐに原形を留めないくらいになってしまうから、遠国から伝わった話なんか誰も話半分ほども信じやしない。ただ、嘘《うそ》を承知で面白がって話題にする程度だ。

だから、昔の話も、さすがにあれだけの大事件なんだから大陸中に伝わったとは思うけれど、正確な内容が伝わったとは思えないし、70年以上も経《た》った今では、当事国でもない遥か遠方の国の平民達では、知っている者も少ないだろう。

「そうねぇ。恭子《きょうこ》も、あまり長そうにはなかったしねぇ……」

え？

「恭子は……」

「ああ、最後に会ったのは、2年くらい前かなぁ。その後、どっちも出歩けるような状態じゃなくなったから……。

私は病院で点滴やら酸素チューブやらをくっつけられてたし、恭子はそういうのはくっつけていなかったらしいけど、自力で外出できるような状態じゃなかったみたいだし……」

「どんだけ長生きしたんだよっ！」

くそ、思い切り増殖しやがったな、コイツら……。

馬車、いやいや、『パンツァー』の中で、これからの予定について、打ち合わせ。

そして、半島部を抜け、大陸中心部を突っ切って、反対側の海辺へと向かうことにした。やっぱり、日本人は海の側《そば》でないとねぇ……。

いや、日本にいれば、どこであっても比較的海の側だし、新鮮な魚介類もいくらでも手に入るから問題ないんだけど、ここじゃ少し内陸部になると海産物は干したものしか手に入らない。それじゃあ、日本人にはちょっと辛い。だから、住むならやっぱり、海の側だ。

自分達で釣りとか潮干狩りとか、そして海水浴とかも楽しめるからね。

そもそも、どこに住もうが自由なのに、わざわざ海から離れたところに住まなきゃならない理由がない。

そういうわけで、まずはブランコット王国を抜けて、ドリスザートへ。

前回はドリスザートへ入ってすぐにやらかして、大急ぎで他国へ移動するために、国境線が近い南方へと進路を変えてユスラル王国へと向かったけれど、今回はそんな必要はないから、そのまま東進する予定だ。

誘拐騒動を除けば、ほんの一瞬、通過する間だけの滞在だったドリスザートは勿論、ブランコット王国でも、私に気付く者なんかいやしないだろう。事実、アイテムボックスから救出された後、バルモア王国へと向かう際にも、全くのノーマークだったし……。

いくら信仰的には名前や容姿の記録が残っていても、時の流れによる記憶や情報の風化は大きいし、写真もなく、モデルとなって画家に肖像画を描かせたわけでもない。遠目に何度かチラリと見ただけの記憶で描いた絵なんか、大して似てないし。

なので、何も気にせず、ひたすら東進。

それでも、念の為、バルモア王国とブランコット王国を抜けるまでは余計なことはせず、ちゃんと走行時にはふたり並んで御者台に座っていることにした。

両国を抜けたあとは、『自動運転試験実施中』とか、『本車、原子力にて航行中』とかいう貼り紙をしておけばいいや……。

とか思っていたら、御者台が無人で進む馬車を見た旅人達が『御者が発作で倒れて馬車から落ち、そのまま無人で進む馬車』だとか、『駐めてあった馬車が、御者がいない間に勝手に歩き出した』だとか思って、拿捕《だほ》して我が物に、と群がってくるという事件が頻発《ひんぱつ》。

駄目だ、こりゃ……。

でも、ずっと御者台に座っているというのも面倒だし、子供ふたりが御者台に座っているというのも、それはそれで、『悪い奴《やつ》ホイホイ』に……。

そしてふたりプラス2頭で知恵を絞った末に考え出したのが……。

「うん、良く出来てる！」

「どう見ても、普通の御者と護衛だよね」

そう、御者台に人形を座らせておくことにしたのである！

御者っぽいのと、その隣には護衛っぽいの。

これで、馬車には他にも護衛が乗っていると思ってくれるだろう。

うむ、完璧！

＊　　＊

何事もなくブランコット王国を抜け、無人馬車問題も、2体のダミー人形（『俊介《しゅんすけ》』、『オスカー』と命名）を御者台に乗せることで解決し、一路、東へ。

しばらくは海には近付かないけど、海産物はアイテムボックスにたくさん入っているから、問題ない。……73年物だけど、まぁ、熟成が進んでいたり腐っていたりするわけじゃないからね。

でも、何か心理的にアレだから、途中の街で孤児院かどこかに寄付して、新しいのに入れ替えよう。

海辺まで行ってしまうと海産物の有り難みが減るから、少しずつ放出《きふ》しながら進んで、海辺に到着した頃になくなるように、うまく調整しなきゃ……。

そういうわけで、バルモア王国とブランコット王国を寄り道なしの急ぎ旅でさっさと抜けたあとは、のんびりと、宿屋3、野営1、くらいの比率で主要街道を進む旅を続けた。

別に野営が大好きというわけじゃないし、野営だとやることがなくて暇すぎる。野営はそう安全というわけでもないし、ちゃんとした料理も食べたいし、風呂にも入りたい。

そう、たまたま次の街まで遠かったりして野営するのはともかく、常に野営しなきゃならない理由なんか欠片《かけら》もない。

それに、寄り道もせずにひたすら突っ切る、というのも風情がない。たまには数日間滞在して、旅を楽しまなくちゃ、意味がない。幸い、ふたりとも時間は充分にありそうだからね。

それに、ハングとバッドも、連日馬車を牽《ひ》きっぱなし、というわけにはいかない。時々は、ゆっくりと休養させなきゃ。

なので……。

「よし、次の街で、数日間滞在しよう！」

「賛成！」

レイコも賛成してくれたので、決定。

急ぎ旅の必要もなくなったから、あとは、のんびりと旅を楽しみながら行こう。

街への滞在中、馬車とハング、バッドは、馬屋に預けよう。宿屋の厩《うまや》は狭いし、一応の世話はしてくれるけど、あくまでも『それなり』だ。馬にとって居心地がいいのは、やはり専門業者の方らしい。以前、エドがそう言ってた。

まぁ、普通は餌と水を与えるくらいしかしてくれないよね、宿屋の厩番は。

それに対して、専門業者の方は、ちゃんと身体を洗って拭いたり、ブラシをかけ、併せて馬の体調や脚などに異常がないかどうかを確認したりしてくれる。敷き藁《わら》も、ちゃんと新しいのに換えてくれるし……。

長期間預ける場合は、預け主が馬車を使う予定を確認して、空いている日には郊外にある牧場で運動させてくれたりもする。勿論《もちろん》、その分の料金は別途かかるけれど……。

今回はほんの数日のつもりだし、滞在中に馬車を使う予定もないから、預けている間の使用予定は無し、ということで、出発日までの世話は全て馬屋にお任せ、ということにしよう。

裏技として、馬車も馬も全てアイテムボックスに、という方法もないわけじゃないけど、それはちょっとハングとバッドに申し訳ないから、ボツで。

そもそも、それじゃあ2頭の『休養』にならないし。

馬車だけをアイテムボックスに入れるというのも、私達ふたりが鞍も着けていない裸馬に乗って旅をしているというのは不自然だし、馬車を預けるくらい、別に大した料金がかかるわけでもない。

……私は、結構お金持ちだしね。

そして、人目のないところで馬車をパンツァーからペネロープ号に乗り換えて、ダミー人形２体はアイテムボックスに収納し、私達ふたりが御者台へ。

裕福な商家の娘ふたりの、物見遊山《ものみゆさん》ののんびり旅、というシチュエーションの完成だ。

これで街へ入るのは、既に何度もやっている。今までと違うのは、このまま真っ直ぐ宿屋に向かうのではなく、まずは馬屋へ行って馬車とハング達を預ける、ということだけだ。

そしてその後、お風呂がある、ちょっと高級な宿屋に泊まる。少女ふたりなんだから、安全第一だ。

では、アイテムボックスからの脱出後初の休養、のんびり行こう！

＊　＊

「では、３日後に。延長する場合は、連絡を入れますので……」

「分かりました。では、良き御滞在を……」

馬屋に馬車とハング達を預け、追加料金を払って世話や食事のグレードアップを依頼。

風呂に入れるわけでもない馬達にとっちゃあ、食事は数少ない楽しみのひとつだからね。それをケチったりはしないよ。

あ、お店でハング達用の食べ物を補充しておかなくちゃ……。

さすがに、私も馬の餌を常時何ヵ月分も持ち歩いていたわけじゃない。そろそろ減ってきている。

今回は、少し多めに用意しておくか。

そして、宿代や色々なものの購入費用も必要だから、次に行くのは……。


「え……」

両替商で、昔の金貨を今の金貨……か、『カオルン金貨』……に両替してもらおうと思ったら、ちょっと驚かれた。

「こんなに大量に、ですか……」

銀行や両替商が、少しくらいのお金に驚くんじゃないよ！　そこは、平然と処理するのが『お金を扱うプロ』ってもんだろうが……。

そして、そこそこの額を両替してもらい、宿の確保へと向かった。

本当はもっとたくさん両替したかったけど、あまり一度に大量に依頼すると眼を付けられそうだし、小娘が昔の金貨をこんなに大量に持っているとか、怪しさ大爆発だ。

後をつけさせるための者を手配されないうちに、さっさと退散。

別にここで全てを両替する必要はない。とりあえずある程度を確保できれば、あとはあちこちで少しずつ交換すれば済むことだ。

とりあえずは、宿の確保、と……。

そこそこの街だから宿屋は何軒かあるけれど、一応、ある程度高級そうなところにしよう。

実際のところはともかくとして、一応、見た目は『か弱い少女のふたり連れ』なんだからね。おかしなのにちょっかいを掛けられたんじゃあ、堪《たま》らない。

お金は、使うべき時に使うために稼ぎ、貯めておくものだ。快適な旅をするために使わなくて、いつ使うというのだ。

そういうわけで、他の生活費は切り詰めても、宿代と食費はケチらないのだ。


「二人部屋、空いてますか？」

「はい、空いております。何泊の御予定でしょうか」

「とりあえず、3泊で。延長する場合は、前日にお知らせします」

高級宿……じゃないな、『やや高級宿』だけあって、子供の二人連れであっても、きちんと応対してくれた。ま、この世界としては割といい服を着てるからね、私達ふたりとも。

お風呂はないらしい。お風呂があるのは、『かなり高級宿』あたりからだからねぇ。

宿屋の人との会話は、レイコにお任せ。

私の方がこの世界の宿屋事情には詳しいけれど、アレだ……。

そう、私はこの世界では12～13歳くらい、下手すると11歳とかに見られ、そしてレイコは14～15歳くらいに見られる。だから、宿屋の人は私ではなくレイコの方を向いて話すから、自然とそうなってしまうのだ。

それは、買い物をする時も、同じ。

身長はあまり変わらないのに、この差はどうして……。

私が童顔だからか？

……いや、ちゃんと分かってるよ、言うな！

この世界では、女性の年齢は胸の大きさで判別するのかよ、クソがっっ!!


そして、鍵を渡されて、２階の部屋へ。

「とりあえず、清浄魔法を掛けようか？」

「お願い！」

そう、お風呂がなくても、レイコがこういう魔法を使えるから、問題ない。

昔は、自分で『お湯のようなポーション（洗浄・殺菌効果付き）がはいった金《かな》だらい、出ろ！』ってやってたから、やっぱり問題なかったけどね。

でも、やはり日本人として、どうしても湯船に入ってお湯に浸《つ》かりたい、という時がある。

以前、それで衝動的に温泉探しの旅に出て、事件に巻き込まれたりもしたなぁ……。

ま、それは置いといて。

「明日と明後日は、観光。三日後に出発。それでいい？」

「ＯＫ！」


そして三日後、東へ向けて旅立った。

……いや、別に、何もなかったよ！

こういう世界だから、珍しい建物も、面白い遊技場も、整備された観光施設も、何も……。

うん、知ってた。

自然の美しい景色、とかいっても、この世界の大半は『自然』だし、少し移動したくらいじゃあ、そんなに珍しい風景があるわけじゃない。

……そりゃ、山岳部とか秘境みたいなところへ行けば、滝とか湖とか、綺麗なところや雄大な景色のところもあるだろうけど、今はそんな遠回りをする予定はない。そういうのは、いったん落ち着いて、暇になってからあちこち旅行すればいい。

そういうわけで、観光にはあまり期待せず、ハングとバッドの休養、という意味合いでの２〜３日の滞在を挟んで、ひたすら東進を続ける私達であった……。

＊　＊

「海だ……」

「海だねぇ……」

『こ、これが……』

『伝説の、海……』

いや、伝説という程のものじゃないだろ……。

とにかく、一応の目的地である、大陸の東側の海岸に到達した私達。

道中、大したことがなかったから省略したけど、バルモア王国を出発してからかなりの日数が経っている。ここなら、73年前のことも『遠国での出来事が、すごく尾ひれがついて、とんでもない法螺話《ほらばなし》になって伝わってきた』という程度であり、登場人物の固有名詞や容貌なんかまともに伝わってはいないだろう。

それも、73年も経っているのだから、普通の人達はそんな話は全く知らないという可能性もある。

……そう、そんな話は全然気にしなくていい、ってことだ。

「じゃあ、計画通り……」

「うん、程々の大きさの港町に、拠点を作ろう！」

そう、拠点だ。

この世界の人間として生きていくのだけど、わざわざ余計な苦労をしたり、不便な生活をしたいとは思わない。

かといって、あまり世間の常識から外れた生活環境だと、他者の眼に触れた場合、色々と差《さ》し障《さわ》りがあるだろう。

なので、宿屋暮らしではなく、家を確保する。中を勝手に弄《いじ》っても大丈夫なように、賃貸ではなく、買い取りで。

賃貸だと、『レイエットのアトリエ』の時みたいに、おかしな手出しをされないとも限らないからねぇ。

そりゃ、相手をプチッと潰すのは簡単だけど、面倒なのは嫌だし、相手や騒ぎの成り行きによってはこの街から、もしくはこの国から姿を消す必要があるかもしれないし……。

ま、お金のロスを気にするよりも、揉め事を回避できる可能性を選ぶってことだ。

お金にはあまり拘《こだわ》っていないし。

金貨はたくさんあるけれど、普通の生活ができれば充分だし、働かずにゴロゴロして暮らすつもりもない。そんな生活をしていたら、つまらないし、婚活に支障が出る。うん。

いや、ネットとかがあればゴロゴロしていても暇が潰せるだろうけど、ここにはないからなぁ、ネットもテレビも本も漫画も……。

そりゃ、退屈だ。

金貨は、道中でかなり両替してある。

少し知恵を働かせて、街に着いてすぐにではなく、出発直前に両替することにして、両替商がある街では両替しまくった。

ポーションの販売益とか、アビリ商会と共同で企画した新製品とかで、私はかなりの財産家だったのだ。そしてその財産の大半は、金貨としてアイテムボックスに入っていた。それ以外の財産は、『女神の眼』の子供達に譲った家くらいだ。

そして、街々で大量に両替しては、そのまま真っ直ぐ次の街へ。

後をつけようにも、小型で軽いペネロープ号をシルバー種のトップクラスである名馬2頭が、しかもポーションでのドーピング付きで牽《ひ》くのだから、徒歩や馬車では追いつけようはずもない。

騎馬を用意して慌てて追っても、追いつく頃には華奢《きゃしゃ》で小さなペネロープ号からゴツいパンツァーに乗り換えているし、御者台に座っているのは、ふたりの少女ではなく男性《ダミー》だ。

そのため、今までに数回、街を出てしばらく後に風体《ふうてい》の悪い男達が飛ばす数騎の騎馬に追い抜かれたことがあったが、一度も面倒に巻き込まれたことはなかった。

勿論、街へと戻る、機嫌の悪い騎馬の男達とすれ違うまでは、御者台はダミー人形のままであり、街に立ち寄ったりもしなかった。そのあたりは、ちゃんと注意を払っていたのである。

両替した金貨は、ドリスザートあたりまではカオルン金貨だったけれど、その後はそれぞれの国の金貨になった。

それは仕方ないし、別に構わない。どうせ落ち着く場所が決まったら、そこの金貨に再度両替するのだから。

落ち着く先で、小娘が大量の古い金貨を両替したりすれば、『どこかの洞窟か何かで、子供が隠し財宝を見つけたのではないか』とか勘繰《かんぐ》られて、騒動になるに決まってる。だから、とりあえず現在流通している金貨に替えただけだ。

二度手間になるし、手数料で数パーセントの損失が出るけれど、それくらいは仕方ない。安全と、面倒事を回避するための守り札を買ったと思えば、安いものだ。

「とりあえず、この街を第一候補にして、しばらく宿屋暮らしで様子を見ようか？」

「うん。主要街道を通ってきて行き着いた港町なんだから、この辺りでは大きな街だろうからね。ここをスルーして、わざわざ他の街へ行く理由はないよね」

私の提案に、レイコも賛成。

よし、ここが私達ふたりの新天地、『はじまりの街』となるかどうか、お試し期間の開始だ！

第四十九章　港町ターヴォラス

取った宿は、ごく普通のところ。

そう、1階が受付と食堂兼酒場、奥が経営者一家の居住部で、2階と3階が客室になっているやつだ。

経営者一家の居住部が狭いような気もするけれど、考えてみれば、台所、トイレ、その他の設備は客用のを使えばいいのだから、家族専用区画は狭くてもいいのかも。

今回は、いつものように安全重視でちょっといい宿屋を選ぶ、ということをしなかったのは、勿《もち》論《ろん》、この街の治安というか民度というか、普通の宿屋での状況を確認するためだ。

住み着く街が、治安の悪い街だったり、問題を抱えた街だったりすると嫌だもんねぇ。犯罪組織が牛耳っているとか、チンピラが幅を利かせているとか、領主が悪党だとか……。

なので、金回りの良い者しか泊まらない宿ではなく、ごく普通のところにしたわけだ。

……さすがに、女の子ふたりで下級の宿に泊まるような蛮勇はない。

いくら私のポーション作製能力やレイコの魔法で何とかできるとはいっても、それを他の者に見られたら、即座に国外へ脱出しなきゃならないからねぇ。

面倒事は御免だよ。

そういうわけで、ごく普通の宿の、ごく普通の二人部屋を取った。

部屋は3階。トイレは1階にしかないから、いちいち上《のぼ》り下《お》りするのは面倒だけど、1階は酒場兼用だから、夜にうるさいからと気を利かせて3階にしてくれたのだろうから、文句はない。そんなにしょっちゅうトイレに行くわけじゃないし。

「じゃあ、一週間くらいあちこち廻って、街の様子の確認と住処《すみか》の候補探しをしようか」

「うん。それによって、仕事の方もね」

そう、実は、まだどんな仕事をするかは決めていないのだ。

住む街や場所に合わせて、そこに適した、私達にできる、そして人々の役に立てる仕事をしたいと思って、そこは保留にしてあるんだ。

勿論、重労働や時間的に縛られるのはパス。

お金に困っていないのに、仕事に縛られて人生を使い潰すのは嫌だ。

あ、私達は人生の時間的には『かなりの余裕がある』けれど、だからといって、不本意な生活をしてもいいってわけじゃない。

お店は、店番で時間的に縛られるから嫌。

事前の準備（仕込み）に手間が掛かるのも嫌。

金持ちや権力者、その他に眼を付けられるのはパス。

忙しいのや慌ただしいの、取引相手だの何だのと煩《わずら》わしい人間関係をこなさなきゃならないのも嫌。

せっかくだから、チート能力を使って楽に稼ぎ……、いやいや、人の役に立ちたい。

ま、そういうわけで、この街に腰を落ち着けるかどうかと、どんな暮らし方をするかは、今からの情報収集の結果次第だ。

情報を制する者は世界を制す、と言うじゃない。

＊　　＊

そして、6日後。

「大体、調べ終わったね……」

「うん。余所者の平民が簡単に調べられる程度だけど、街の雰囲気や治安の程度、住民のモラルや為政者の方針とかを判断するには充分なだけの情報は手に入ったと思う」

私の言葉に、そう言って肯定の言葉を返したレイコ。

そして……。

「「合格!!」」

うん、この辺りの領主様である伯爵は、貴族としての権利だけではなく、ちゃんと義務も弁《わきま》えたまともな人物らしかった。そのため、街の治安もしっかりしている。

……あくまでも、こういう世界としては、ってことだけど。

国王もまともらしく、……というか、国王がまともだから、まともな貴族が領主をやっているのかな？

ま、ともかく、国もここの領主も、そして街もまともだということだ。

他の街、他の国へ行っても、ここと同程度のところはあっても、ここよりずっと良い場所があるという確率は、そう高くないだろう。ならば、大外れを引く危険を冒してまで旅を続ける理由はない。

「よし、この街に住もう！」

「賛成。外れだったら、その時に移動すればいいんだからね」

こうして、私達はこの港町、ターヴォラスに住むことにした。

＊　＊

郊外に、家を買った。

……いや、ちょっと唐突だったか……。

街の中心部は、建物がみっちりと詰まっていて、店舗だったり作業場だったり住居だったりと、それぞれ使われている。

そりゃ、空いてるところも無くはないけど、賃貸だったり、広さや設備、場所や価格とかが折り合わなかったり、私達の姿を見ただけで不動産屋に追い払われたり……。

ま、私達のこの見た目じゃ、冷やかしか子供の悪ふざけと思われても仕方ないか。

ここを買う時には、バッグから金貨が入った革袋をドンと出したから、問題なかったけどね。

最初から出せ？

買うかどうかも、そして相手がまともな商人かどうかも分からないのに、物件も見ずに最初から金貨が詰まった袋なんか出して、どうするよ……。

詐欺師や犯罪者ホイホイにしかならないよ、そんなの。

考えてみれば、以前『レイエットのアトリエ』や『便利な店　ベル』の店舗を借りた時は、ロランドがいたからなぁ。それなりに、少しは役立ってくれていたんだなぁ、ロランドも……。

それが、今じゃ未成年（に見える）の小娘ふたり、だからなぁ。

ま、そういうわけで、最初は不動産屋を廻って物件の紹介をしてもらおうとしたんだけど、それは不首尾に終わった。

そして、次にやったのは、自分達で気に入った空き物件を探して、そのあたりの相場を調べてから、その物件を扱っている不動産屋を調べて話をしに行く、って方法だ。

それで、街中を調べて廻ったんだけど……。

まず、あまりにも狭いのはパス。

あまりお金に困っていないのに、いくら親友同士だとはいえ、プライバシーも保てないようなのは嫌だ。

そして、水回り（台所、バス・トイレ、排水等）が充実していること。

外から室内が覗《のぞ》かれないこと。

近くに騒音、悪臭、治安悪化を招くもの等がないこと。

いや、鍛冶屋の隣とか、酒場の隣とかは、朝早くから夜遅くまでうるさそうだからね。睡眠不足やイライラは、お肌に悪いからねぇ、うん。

更に、最も重要なのが、『秘密が守られる』ってことだ。

お隣のおばさんが、ノックもせずに『煮物が余ったから、お裾分けだよ』とか言って勝手に入ってくるようなことが常識である区域には住むわけにはいかない。

いや、そういう人情味溢《あふ》れる人間関係が嫌だというわけじゃないんだけど、我が家には、色々と便利なものを設置するつもりだから……。

そして見つけた物件が、これだ。

元、孤児院。

現、空き家。

海辺の、海面から20メートルちょいの崖の上に建てられた、別にボロボロというわけでもない平屋の建物。

平屋とはいっても、そこそこの広さはある。こんな場所だから土地は余りまくっているのに、建てるのに技術が必要で、自分で屋根の修理とかをするのはかなり危険な2階建てにしなきゃならない理由がない。雨漏りの修理とかは、多分住人が自分達でやるのだろうから……。

おまけに、元は孤児院だったのだから、何をするか分からないやんちゃな子供達を大勢住まわせるなら、事故が起きる確率を少しでも減らすために平屋にするのは論理的だ。

この物件は部屋数が多く、色々な広さの部屋があるから、それぞれ用途別に使えそうで面白い、と思ったんだ。

そう、普通の民家程度の広さで、私達の本拠地が務まるわけがない。

そして、本拠地の真価は、地上部分ではなく、地下にある。だから、郊外に建っていて、平屋で敷地面積が広いと便利なのだ。建坪が30坪の街中の家の地下に秘密基地を建設するのは、ちょっと無理があるから……。

また、価格がとても安かった。

そりゃ、街の中心部から少し離れた海辺の崖っぷちで、こんな特殊な造りの元孤児院なんて、買う奴《やつ》はいないよねぇ……。

そういうわけで、現金《キャッシュ》でさっくりとお買い上げ。

これで、業者を入れて補修を頼んで、その後、地下室を作って魔改造だ。

地下室はどうやって作るか?

アイテムボックスとレイコの魔法で、何とかなるなる!

＊　＊

業者を入れて、修繕だけでなく、あちこちに手を入れてもらった。

その中でも特筆すべきなのは、私とレイコの自室にする部屋と、その他数カ所の床下に、1メートル四方くらいの収納庫を作ってもらったことだ。

部屋がたくさんあるのに、どうしてたった1メートル四方の収納庫のために工事を、と不思議がられたけれど、『温度変化が少ない場所に、調味料や保存食を保管する』と説明して、納得してもらった。

勿論、本当に欲しかったのは収納スペースなどではなく、『秘密の出入り口』だ。後で、この下に地下室を作るから、その隠し出入り口にする予定なのだ。

閉めるとただの床にしか見えない出入り口なんて、ポーション容器としてイメージできないし、レイコの土魔法でもできそうにない。だから、そこは専門家に任せたわけだ。

窓は、元々が木製だったから、ガラス窓に換えたいと思いながらも、我慢。

最初からあまり金持ちっぽくすると、悪い連中に眼を付けられる。ガラス窓なんか、盗人《ぬすっと》ホイホイだ。

……まぁ、こんな建物（土地付き）を現金《キャッシュ》で買った時点でアレだけど、余所者の小娘ふたりが保証人もなしでこんな買い物をするのに、現金以外で売ってくれるはずがないから、仕方ない。

だからせめて、ここを買うのに有り金叩《はた》いてしまい、今は文無し、というポーズを取るのだ。なので、早急に仕事も始めなきゃならない。

よし、とりあえず、必要な家具を揃《そろ》えよう。

前の持ち主が使っていたものはそのまま残してあるけれど、お店の居抜き……飲食店や店舗等で、設備や内装、什器《じゅうき》、備品が付帯した状態での売買……ならばともかく、生活用品の居抜きというのは、ちょっと勘弁してもらいたい。

そういうわけで、スペースは充分あるから家具や備品を処分するのは後回しにして、とりあえず自分達が使うものを買い込もう。

＊　　＊

「……やるよ？」

「了解！」

草木も眠る、丑三《うしみ》つ時《どき》。

外部から見られても私達が何をしているかは分からないだろうけれど、念の為、周囲に誰もいないことを確認して、作業開始。

「収納！」

建物の地下の土や岩を収納し、地下室を作る。

勿論、上の建物の重量で崩落したりしないよう、あまり広くはせず、丸々空間にするのではなく支柱部分や壁となる部分を残して支えとし、そこにレイコが土魔法で補強のための強化魔法を掛ける。土を石のように硬化させる魔法らしい。

そして横方向にいくつかの部屋を追加。

……これが、第一段階。

そしてその地下室から、再びアイテムボックスに土を収納することにより斜め下方に通路を掘り、建物の直下範囲から外れ、岩盤に到達。更に岩盤の中まで通路を進め、そこに本格的な地下室を作る。

巨大なひとつの空間ではなく、部屋分けして、強度を保つように。……勿論《もちろん》、念の為にレイコの強化魔法も掛けるけれど。

そう、最初の地下室は、ダミーだ。

家捜《やさが》しして地下室を見つけたら、『やった、隠し部屋を見つけた！』と喜んで、そこに隠してある幾ばくかの金貨を手に入れて満足し、まさかそこから更に先があるなどとは思わない。人間というのは、そういうものだ。

まぁ、実際に物置とか倉庫代わりに使うし、ちょっとした隠し部屋としても利用するつもりだから、別に無駄に遊ばせておくわけじゃない。

今まで掘り進んだのは、勿論、海の反対側へ。海の方だと、崖の途中に出てしまう。

そして今から掘るのは、その、海側へ。

ここから海側へと斜め下に掘り進め、海面近くまで行く。

そしてそこから更に海の下へと掘り進み、地下で海底と繋《つな》げるわけである。

そう、そうすれば、外に出なくても地下部分で釣りと海水浴が……、ではなく、勿論、秘密の脱出口である。そこに、小型潜水艇を用意しておけば、もし敵に包囲されても安全に逃げられる。

まさか敵も、そんなことまで予測して海側も船で包囲、などということはしないだろうし、もし船で包囲されていたとしても、潜水艇ならば問題ない。

もし恭子《きょうこ》がいたならば、『あんた達、いったい何と戦ってるのよ！』という突っ込みが入るだろうけど、残念ながら、レイコは私と同類だ。

……そう、『石橋を、叩《たた》いて壊す』、『こんなこともあろうかと』、という手合いだ。理系だからね、ふたりとも……。

そして、潮の満ち引きのことも考えて海と繋がった水路を作り、いったん引き揚げ。

帰りには、掘った通路を微調整的なアイテムボックスへの収納で階段状にしたり、レイコの土魔法で成形したりして、安全かつ歩きやすくした。

でないと、その内に間違いなくコケて、一番下まで滑り落ちてしまうだろう。

いや、そりゃ、階段でもコケるかもしれないけど……。

今日は、通路や部屋の空間造りで終了。

大規模な工事だけ終わらせておけば、あとは、家具なんかを設置する時にちょこちょこと手直しすればいい。

＊　＊

というわけで、数日後には、概《おおむ》ね完成。

床下直下の地下室は、不要品……前の住人達が残した家具とか色々……を置く倉庫やら、保存の利く食料とか消耗品の備蓄庫やら、『好ましからざる客』が来た時のための居留守用の部屋やら、色々と準備した。

物資は全てアイテムボックスに入れておけるけど、やはり、万一に備えてそういう体裁だけは整えておくべきだろう。毎日街に買い出しに行くわけじゃないから、そういう備蓄があることにしておかないと不自然だからね。

岩盤内にある本拠地と、さらにその下層の、海への脱出用の場所には、色々なものを設置した。

……そう、色々な『ポーションの容器』を……。

レイコが呆れていたのは秘密だ。『これに較べれば、私の魔法なんか大したチートじゃないわよ！』とか言っていたけど、知らんがな……。

地上部分は、『絶対に、誰も入れない』ということは難しいだろうから、人目に触れてもあまり違和感のないようにしてある。悪目立ちしそうなものは、全て地下室に。

ま、いくら文明の利器による快適さを享受させてもらうとはいっても、エアコンやテレビとかをどどんと設置するわけじゃない。あくまでも、この世界らしい暮らしにプラスアルファするだけで、地球での暮らしを再現しようと思っているわけじゃないんだから。

今の私達は、日本人長瀬《ながせ》香《かおる》と久遠《くおん》礼子《れいこ》ではなく、この世界の人間、カオルとレイコなんだからね。

だから、ベッドも街で買ったし、その他の日用品も、全て普通に購入した。

経済は回さなきゃならないから、金貨をアイテムボックスに貯め込むばかりじゃ駄目だしね。なるべく、普通にやれる部分は普通にやるべきだ。

……でも、勿論、譲れないところはある。

なので、調理器具と椅子は、ポーション容器製だ。

いちいちかまどに薪を入れて火を付けて、なんて、やってられるか！

そして、安定しない火力で、まともに料理が作れるもんか!!

いや、この世界の料理人や家庭の主婦の皆さんはそれでやっているんだろうけど、私達にはハードルが高すぎる。

……そして、椅子《いす》は大事！

重要なことなので、もう一度言っておこう。

椅子は大事!!

いや、腰を痛めても、ポーションを飲めば治るだろうけど……。

そして、洗濯。

勿論、全自動洗濯機とか乾燥機とかは使わない。あまりにも場違いな工芸品《オーパーツ》過ぎる……。

しかし、タライと洗濯板で普通にゴシゴシ、というのも勘弁して貰いたい。重労働だし、そもそも生地が傷む。

……いや、便利な方法はあるよ？　アイテムボックスに収納する時に、『服を収納。但し、汚れ成分は除外』ってやれば済む。

でも、それは違う。……何か、違う。

なので、洗濯物はタライに入れて、足で踏むことにした。

勿論、『汚れを一発で落とすポーション』を入れているから、数回踏むだけで終わる。

……アイテムボックス洗濯法と大して変わらない？

い～んだよ、人に見られても大丈夫なように、体裁さえ整っていれば！

水は元々、近くを流れる小川から溝を掘って引いてあった。

そりゃま、こんな崖っぷちで少し掘ったくらいで地下から水が出るわけがない。

そそり立った岩山のてっぺんに建つ古い洋館の地下には、轟々《ごうごう》と流れる地下水の川が……、って、大正時代の冒険活劇小説じゃないんだからさ……。岩山のてっぺんで、その水、どこから来てどこへ流れているんだよ、って話。

どうやらその溝は、前の住人達が掘ったものらしい。剝き出しで流れているから、木の葉だとかゴミだとかが混入し放題。洗濯や風呂に使うならともかく、そのまま飲用にするにはちょっと、いや、かなりの勇気が必要なため、ちゃんと濾過《ろか》と殺菌処理をするための装置を付けてある。

勿論、排水は、地下に造った浄化施設《ポーション容器》を経由して海へ。

これで、完璧！

『潰れた孤児院の土地と建物を買い取った少女達』の話は、既にある程度広まっているだろう。買い取りと修繕工事でお金を使い果たし、これからの生活費を稼がなきゃならない、ってことは、代金を値切る時に不動産屋と修繕業者にたっぷりと吹き込んでおいた。

謎の少女達《わたしたち》に興味津々《しんしん》であろう、娯楽や話題に飢えた街の人達が不動産屋と修繕業者に根掘り葉掘り聞かないはずがないし、業者達は、見知らぬ少女達のプライバシーなんかよりも、近所付き合いの方を優先してペラペラ喋るに決まってる。

あとは、1~2週間くらいゆっくりと様子を見てから、ぼちぼち考えればいい。
おかしなのに眼を付けられず、そこそこの買い物をしても怪しまれない程度の稼ぎになる、楽ちんで時間に縛られない仕事を……。

そんなふうに考えていた時期が、私達にもありました……。

第五十章　やっぱり……。うん、知ってた

じりりりりりり！


「敵襲!!」

ある夜、うちの敷地に沿って張ってある警報システムが、侵入者を感知した。

いや、まぁ、ただの訪問者や野生動物だという可能性もあるけれど、物事は、最悪の事態を想定して対処するものだ。

……そして大抵は、現実はその左斜め上45度くらいでやってくる。

レイコと一緒に居間でのんびりしていたから、対処は早かった。

監視パネル型ポーションン容器で、侵入者を感知したセンサー型ポーション容器の位置を確認。

屋根の上に付けてある赤外線カメラ型ポーション容器をその方向に向けて、ズームさせる。

それを液晶モニター型ポーション容器で……、って、面倒臭いわ!!

もう、『〜型ポーション容器』というのは省略！

この世界にあるはずがないものは、全部ポーション容器として造った！

自分達の安全のためには、自重しない。

安全第一。これ、常識！

……で、モニターに映っているのは……。

そう、5〜6歳くらいの男の子と、10歳前後の女の子。そのふたりが、辺《あた》りを窺《うかが》いながらゆっくりと建物に接近している。

「『子供？』」

白人系だから私達にはもう少し年上に見えるけれど、もう慣れたから、大体の年齢は分かる。その子が平均より極端に大きいか小さいかでない限りは。

そして勿論《もちろん》、年齢の判断には『生育環境補正』も加味している。

……孤児は、栄養状態の関係上、大体は平均より小柄な場合が多い。そして、太っている孤児など、いようはずもない。

「……孤児？」

「多分」

レイコの問いに答えた通り、絵に描いたような孤児だ。

元は幾分マシな服だったようだけど、それも、既に薄汚れている。

あまりボロボロではないけれど、普通の家庭であれば洗濯くらいはするだろう。その様子がないということから、孤児と判断していいだろう。それも、孤児院にすら入れない境遇の子供だ。

……って、そういえばここ、元孤児院だったなぁ……。

「とにかく、5～6歳の窃盗犯も、10歳前後の殺人犯もいるんだから、油断大敵だよ！」

「分かってる！」

私の注意喚起の言葉に、そう言って頷《うなず》くレイコ。

そう、ここはそういう世界だし、現代地球にも、そういう国はいくらでもあった。

そして私達は所詮、平和な国で生まれ育った甘ちゃんでひ弱な女性だ。死にもの狂いで生きてきた者達に本気を出されれば、一瞬の隙を衝《つ》いてブスリ、とナイフで刺される可能性は充分にある。

ポーション作製も魔法も、ナイフを突き出されるコンマ数秒より速く対処できるとは限らない。

そう、私達はふたりとも、後衛というか、遠距離戦タイプなんだ。それに、レイコは人を殺したことがない。それは、あまりにも大きな不安要素だ。

だから、敵は接近される前に殺《や》る。なので……。

「侵入者、第一防衛ラインに到達。正規ルート上……」

ありゃ、こっそり侵入するんじゃなくて、真っ直ぐ玄関に向かってきてる。

玄関への道から外れて回り込むと、落とし穴とか色々な歓迎設備が待ち構えているんだけど、さすがに玄関への道にはそんな仕掛けはしていない。たまには来客があるかもしれないし、自分達がうっかり引っ掛かるかもしれないからね。

しかし、真正面から来るということは、物盗《ものと》りとかじゃないのかな。

でも、夜中に子供が他人の家を訪れるなんて、盗みか物乞いくらいしか思い付かない。そして物乞いならば、日中か夕方の、残飯が出るあたりの時間帯だろう。決して、こんな夜遅くに来るようなものじゃない。

不必要に秘密を教えることもないから、私は左手に短剣を持ち、右腰に爆裂ポーションの小瓶を着けている。レイコはショートソードと小型のクロスボウを装備。

……この日に備えて、日本で色々な武器の扱い方を練習していたらしい。

ちぇっ、私も転生するのが分かっていれば、色々と準備したよ！

とにかく、準備万端で、来客を待ち受けた。


カツン、カツン！

そしてしばらく後に、ドアノッカーの音がした。

どうやら盗人ではなく、本当に客だったらしい。

しかし、こんな時間にアポなしで薄汚れた風体《ふうてい》の子供がふたり。まともな客ではあるまい。

だけど、居留守を使っても意味がない。それは問題を先送りするだけだし、次に来る時は正面からではないかもしれない。ここは、情報を得るために普通に、いや、友好的に出迎えるべきだろう。

「は〜い！」

そのため、ドアを開けて明るく出迎えたところ……。

「「ひいっ!!」」

ふたりの子供は、飛び退《すさ》って尻餅をついた。

「こ、殺さないで!!」

あ。

私は左手に短剣を持っているし、後方ではレイコがクロスボウを構えて狙いをつけている。

……そりゃ、ビビるわ……。

＊　＊

「……じゃあ、あなた達は以前ここに住んでいたと？」

「は、はい、私はこの孤児院で育ちました……。そして1年前に隣領の商人に引き取られ、なぜか事前に説明されていた養女としてではなく奴隷として働かされていたのですが、そろそろ身の危険を感じてきたので、隙を衝いて逃げ出しました。私と同じように、他の孤児院から引き取られてきたばかりの、この子を連れて……」

おおぅ、ヘビーだねぇ……。

しかし、最初から奴隷として使うために引き取ったのか。……極悪人だな。

「で、他に行くところもないから、ここに戻ってきたわけか。引取先のやり口を報告することも兼ねて……」

「は、はい……」

そして長い道のりを年下の子を抱えて死ぬ思いで歩き続け、やっとのことで帰り着いたと思ったら、院長先生や仲間達にではなく、短剣とクロスボウで迎えられたというわけか。

そりゃ、尻餅もつくか……。

必死で説明している9歳の少女、ミーネの隣で、アラルという名の6歳の少年は、ひたすらパンとスープをがっついている。

肉料理とかを出してやっても良かったんだけど、あまりにも空腹が続いたところに消化の悪いものを食べさせると、身体が受け付けなくて吐くことがあるらしいから、敢えて柔らかいパンとスープにした。一応、スープは具沢山にしてある。

ミーネも、話をする前にパンとスープを食べている。少食なのか、いきなりたくさん食べてはいけないことを知っているのか、あまり多くは食べていないけれど……。

しかし、アラルが食べ続けているのを止めないということは、個人的な理由なのかも。

ミーネは、本名をミーネットというらしいが、孤児院特有のルールで、短く『ミーネ』と呼ばれていたらしい。

孤児院では幼い子にも発音しやすいように、そして危険行為を制止するために名を呼ぶ時に少しでも時間が短くて済むようにと、短くて発音しやすい名前を付けるのが一般的らしいのだ。

そして引き取られた時に名前が分かっている時には、その名が長かったり幼い子に発音しにくいものであったりした場合、愛称として名前を短縮して呼ぶことが多いらしい。

ま、長い名前は生存競争には不利だからねぇ。日本にも、『寿限無《じゅげむ》』という教訓話があるし……。

とにかく、今日は食事させてやって風呂に入れてやって泊めてやって、明日、この孤児院を経営していた人達が今どこにいるかを不動産屋に聞いて、この子達の去就を考えなきゃならない。

さすがに、このまま放り出してのたれ死にかスラム行き、ってのは、寝覚めが悪い。

それに、普通の人にとっちゃあ『ただの孤児』かもしれないけれど、私にとっちゃあ、エミール達『女神の眼』の子供達と同じだ。

この子達を突き放すのは、エミールやベル、レイエットちゃん達を突き放すのと同じ。

せめて、まともな行き先を見つけて送り出してやらないと……。

考えてみれば、ここ、孤児院だったんだよなぁ。

どうしてそれが空き家になって売られていたんだ？

普通、孤児院とかはそうそう倒産するようなものじゃないよねぇ。元々営利企業ってわけじゃないんだから、業績悪化だとかライバル会社ができたとかいうわけじゃないだろうし……。

国もまとも、領主もまとも、街の人達も概ねまともなら、今まで運営していた孤児院が急に潰れるとか、あまり無さそうなんだけど……。

運営資金は、国か領主が支援していたか、街の人達からの寄付金とかで賄っていた？　それが急に途絶えた？

う～ん、明日、不動産屋に聞いてみるか……。

買う前に聞いておくべきだったよなぁ、ここが売りに出された理由。

まさか、事故物件だとか、大島てる案件だとかじゃないよねぇ……。

書き下ろし　奮戦！『女神の眼』

「カオルは、自分の世界に帰った。多分、もうここには来ないだろう。

いや、また友達であるセレスティーヌ様の世界に遊びに来る、ということはあるかもしれない。でもそれは、何百年、何千年も先のことかもしれないし、今度は別の国、いや、別の大陸に降臨するかもしれない。観光旅行というものは、毎回同じ場所に行くのじゃなくて、色々なところへ行くものだろう？」

「「「「「「……………」」」」」」

エミールは、『女神の眼』のメンバー6人とレイエットに、非情の宣告をした。

仕方のないことであった。どうせ分かることだし、街で変な尾ひれの付いたデマカセを聞くくらいなら、エミールから正確な情報を与えた方が遥かにマシである。

今日は、工房の仕事を休んで、ロロットも来ている。

「カオルは、自分から望んで帰ったわけじゃない。おそらくカオルは、俺達が独り立ちするまでは付き合ってくれるはずだったんだろうと思う。……カオルは、そういう奴《やつ》だよな？」

エミールの言葉に、こくこくと頷《うなず》く7人。

そう、カオルは、『そういう奴』だった。

女神様のくせに、『様』付けで呼ばれるのを嫌い、それどころか、孤児達に自分を呼び捨てにさせる変わり者の神様。

孤児達は最初とても困惑したけれど、カオルが嫌がらせで皆を『様』付けで呼び始めたところ、ものの数分で陥落し、呼び捨てにすることを渋々了承したのであった……。

一緒に住んでいるのに自分だけ特別扱いされることの悲しさを察したことと、何より、それが『カオル様の望み』であったから……。


「そういうわけで、意図せぬ『仮の肉体の損傷』で、予定より早く自分の世界に帰ることとなり、カオルの今回の休暇は終わったというわけだ。これがどういうことか、分かるな？」

エミールの言葉に、こくりと頷く7人。

「俺達はこれから、自分達だけの力で生きていかなきゃならない。そして、俺達には責任がある。……そうだ、俺達を見た者達は、こう思う。『ああ、あれがカオルという少女が世話をしていた孤児達か……』と。そして、もし俺達が恥を晒《さら》せば……」

ごくり、と生唾を飲み込む7人の子供達。

「……カオルの名が、地に落ちる……」

子供達の顔は、血の気が引いて、蒼くなっていた。

……許されない。

それは、自分達の命に懸けても、決して許されることではなかった。

「カオルは、こういう事態を全く考えていなかったわけじゃないんだろう。だから、旅から帰ってきてから、色々とこういう事態に備えたことを言っていたんだ。もし自分が急にいなくなったら、とか……。

それを、俺達は茶化して、笑い飛ばした……」

「でも、カオルおねーちゃんが結婚できるなんて、誰も思っていなかったから……」

「あ、ああ、まぁ、それは仕方ないな。俺もそう思っていたし、事実、カオルはここでは結婚できずに帰ったからな……」

孤児のひとりからの指摘に、素直にそれを認めるエミール。

カオルへの『その方面の評価』が、酷《ひど》すぎる……。

「しかし、それはともかく、問題はこれからのことだ。

いや、生活するのは問題ない。事実、今までもこの家に住ませてもらっていること以外はカオルからの援助を受けることなく、いや、カオルを養いながら問題なく生活できて、蓄えもあるくらいだからな……」

そう、ロロットも工房での稼ぎを入れてくれており、実質、家賃無料《ただ》、収入7人分（レイエットは計算外）で、水道代や電気代がかかるわけでなし、外食をするわけでなし。かかるお金は食材費と調理用の薪代くらいである。……それと、ごくたまに購入する、衣服代。それも、当然ながら古着である。

稼ぎの方も、カオルが面倒をみている（と思われていた）子供達であるから、ちゃんとした仕事をしている。当然のことながら、求職に行って断られることなど、まずあり得なかった。

本当はもっといい働き口があっても、『帰るのが遅くなると、カオルの面倒を見てやれないから』とか、『「女神の眼」の任務上、情報収集ができない仕事は駄目だ』とか言って選り好みが激しいにも拘《かかわ》らず、それなりの稼ぎを得ているのである。

勿論《もちろん》、カオルが世話をしている（と思われていた）から特別扱いされているわけではなく……望めばそれも可能であっただろうが、それはカオルが、そして何よりも孤児達自身が絶対にそれを許容しなかった……、カオルの教育によってこの世界の子供としてはレベルの違う知識と思考法を叩《たた》き込まれた孤児達は、とても役に立ったのである。仕事先の作業効率や利益を大きく引き上げることができるくらいには……。

なので、今のままでも全然問題なかった。このままでも、皆、それぞれの職場でそれなりの地位となり、結婚し、更に出世するか独立するかして、そこそこ幸せな人生を送れることであろう。

……問題は、彼らの誰ひとりとして、『そんなことは望んではいない』ということであった。

「このままだと、カオルはセレスティーヌ様を唯一神とする女神正教に呑《の》み込まれて、ただの御使《みつか》い、セレスティーヌ様の御加護を受けた人間に過ぎなかったということが正史になっちまう。そんなことは……」

「「「「「絶対に、許されない!!」」」」」

＊　　＊

「商業ギルドに話を付けた。薬ではなくただの原材料の販売だけなら、薬師《くすし》関連の資格も許可も要らないそうだ。ただの家族経営の零細商店としての登録でいけるってさ」

「よし、グルバーのおやっさんに聞いた通りだな。ならば、予定通り『一部改装工事可』という条件で隣の家を借りて、棟梁に頼んで手を加えて店舗にするぞ。あとは、仕入れルートの開拓と、年長組はハンター登録して自分達で薬草を採取できるようにするぞ。そして……」

そう言ったエミールの視線の先には、ひとつの立て札が置かれていた。そしてそこに書かれている文字は……。

『女神カオル真教総本山』

……そう、孤児達の目的は、カオルの存在と、その功績をこの世界に残し、歴史に刻み込むことであった……。

「経済基盤を確立し、信徒やお布施、そして布教や規模の拡大等を必要としない、ただ事実を、真実を、情報を歴史に刻み込み、未来に伝えるための組織を。

そしていつの日か、カオルが再びこの世界に降臨した時に、自分が行ったことが、俺達を救ったことがどんな結果をもたらしたのかということを、必ず伝えるために……。

やるぞ、みんな！」

「「「「「おおおおお〜〜!!」」」」」

＊　　＊

「面白いことを始めたと聞いて……」

「何しに来たんだよ、フランねえちゃん……」

「ひとくち、噛《か》ませろ！」

「ロランド兄ちゃんまで……」

「カオル様を讃える宗教ができたと聞いて……」

「誰だよアンタ……、って、カルロスの飼い主の……。随分目付きがカオルに似てきてるから、一瞬ビビったぞ……」

「大恩あるカオル様の宗派ができたとなれば、我ら一同、帰依《きえ》することに吝《やぶさ》かではない……」

「誰だよ、おっさん達……、って、え、アリゴ帝国海軍元帥？　そっちは船主協会の会長？」

「何だか、思っていたより大掛かりになってきたね……」

「ああ。でも、まぁ、これ以上はやってこないだろ。セレスティーヌ正教の奴らが難癖付けてきても跳ね返せるくらいの権威であれば、ま、あって邪魔になることもないだろうし……。

よし、『女神カオル真教総本山』、活動開始だ!!」

＊　　＊

突如として孤児達が立ち上げた、新興宗教。

それは、孤児達を救い、自らを犠牲として隣国との戦争を防いだ女神の御使い、聖女カオルを女神とするものであった。

この世界にある宗教は、多くの宗派に分かれてはいるものの、基本的には『神は女神セレスティーヌのみ』とする唯一神教だけである。

すなわち、それ以外の神を信仰するなど、邪教であり異教徒、ということであった。

……しかし、女神セレスティーヌ正教の者達も、さすがに強く出ることはできなかった。

カオルは女神セレスティーヌの御使いであり、死した今は聖女として崇められている。

そしてその孤児達はカオルに命を救われた者達である。彼らにとっては、カオルはまさに女神に等しかったであろう。その孤児達の想いを、邪教として否定することなどできようはずもない。真の聖職者であれば。もしくは、民衆からの評価を気にする聖職者であれば……。

更に、あの救国の大英雄にして大陸の守護神、絶対英雄、勇者フランと王兄ロランドがバックに付き、自国の貴族だけでなく、他国の『女神の御寵愛《ごちょうあい》を受けし少女』と評判の貴族の少女とか、アリゴ帝国の海軍軍人、商船の船主や乗組員とかが支持しているとあっては、勢力を伸ばす意図もない無害な零細宗教に余計な手出しをして火傷《やけど》をするのも馬鹿馬鹿しい。

……そう、放置が一番であった。『セレスティーヌ正教から分裂した、零細宗派のひとつ』ということにすれば、波風が立つこともあるまい、と考えて……。

＊　　＊

そして数年後……。

「ベリスカスからの荷が届きました！」

「よし。来週には、アリゴ帝国の商船が港に入港する。あと、軍艦で運んでもらっている方は、それより早く届くはずだ。採取組は今日で作業を打ち切って、そっちのサポートに回してくれ。代わりに、ハンターギルドに採取依頼を出す」

「了解！　へへ、うちは『家族経営』だから人件費はかからないし、帝国海軍の連中はお酒の差し入れ程度で便宜を図ってくれるし、商船も手間賃程度の格安価格で運んでくれるから、他の商人達に価格面で負けることなんかあり得ねぇ。王都の薬種流通ルートは、うちが独占……、するわけにもいかないか……」

「はは、そうだな……」

エミールが言うまでもなく、自分でオチまで言ってしまった青年。

そう、何事も、やり過ぎや独占は良くない。

もし重要な物資の流通を独占している企業があり、そこが突然潰れたら？

商家など、いくら経営が順調であっても、もし主力取り扱い商品が天候不順やら戦争やら、何らかの理由でいきなり入荷が停止したら……。

掛け売りしている取引相手が、支払いを済ます前に倒産すれば。

そして、盗賊に押し入られてお金や商品をごっそり持ち去られたり、それだけならまだしも、従業員や経営陣を皆殺しにされたり、店に火を放たれたりすれば……。

盗賊には、盗み目当ての者もいれば、『何者かに依頼された者』とかもいるであろう。

そう、たとえば、新興商店に商品を安売りされたり、流通を独占された大店《おおだな》や老舗《しにせ》の店主とかに依頼された者とかが……。

そして、独占していた店がいきなり潰れれば、その商品の流通が止まる。

それが嗜好品とか贅沢品等、無くても別に大して困らないものであれば良いが、もしそれが人命に関わるようなものであれば……。

そして薬種は、その類いの商品である。

……商売は、程々に儲《もう》けるのが良い。やり過ぎは禁物であった。

「ま、薬種では程々に稼ぐさ。で、これ以上この品目で儲けられないなら、転進すればいいだけのことだ……」


……そしてしばらく後、孤児達の家の、薬種屋とは反対側の隣家が買い取られた。

そう、既にそれだけの財力は蓄えられていた。薬種屋の方も、数年前に買い取っている。

商売は順調であった。

当たり前である。彼らには強力な武器があるのだから。

カオルのネームバリュー。

本当の家族を遥かに凌ぐ、強固な団結力と家族愛。

……そして、カオルによって仕込まれ、叩き込まれた知識と地球式の商売術。

彼らに、敵はなかった……。

＊　　＊

「あれ、薬種屋のふたつ隣に新しい店ができてるぞ。何々、『土産物店　女神の眼』？　薬種屋も、確か『女神の眼』って名前だったよな、元孤児達が経営してる……」

そう、既にエミール達『女神の眼』のことを孤児と呼ぶ者はいなかった。

元孤児、または『カオルちゃんとこの子』、もしくは『ナガセの子』。

今では、そう呼ばれている。……最後のは、子供達が『ナガセ』という姓を名乗っているからであり、街の人達はそれを屋号のようなものだと思っているのであった。本当の屋号は『女神の眼』の方なのであるが……。

そもそも、既に元孤児達は皆15歳以上となって成人しており、『孤児』と呼ばれるような年齢ではなかった。

そして、新しい店の軒先には、『カオル様煎餅《せんべい》あり〼《ます》』、という貼り紙が……。

「煎餅？」

日本では縄文時代や弥生時代には既に作られていたという煎餅であるが、この辺りでは作られていないのか、作られてはいてもあまり普及していないのか、その男にはあまり聞き馴染みのない言葉であったらしい。

「ちょっと、覗《のぞ》いてみるか……」

店内には、様々なものが並べられていた。

『カオル様木彫り人形』
『カオル様ぬいぐるみ』
『カオル様お面』
『カオル様魔除け人形』
『カオル様煎餅』
『カオル様お守り』
『女神カオル真教の全て』
『カオル様のダイエット術』

お面や魔除け人形はカオルの目付きをかなり正確に再現しており、魔除けの効果は抜群のように思われた。

図書館にも置かれていた2冊の本は、それぞれエミールとベルが執筆したものである。

ダイエット術の方は、確かに体重は減るようであるが、その減少分は主に胸部によるものであり、評判はあまり良くなかったようである。

クレームを付けられたベルは、『だから、「カオル様の」ってちゃんと書いてあるでしょう！』と逆ギレしていたようであるが……。

とにかく、これらの商品はロングランとなり、カオルが復活した時にもまだ販売され続けていた。カオルが入ったのが土産物店ではなく薬種屋であったのは、幸いであった……。


「俺達は、生きる。そして子孫を残し、カオルの足跡《そくせき》を守り続ける。いつの日か、それがカオルの目に触れるかもしれないという僅かな可能性を信じて……」

「「「「「おおっ！」」」」」

「……そして、とりあえず、ベルとの間に子孫1号をつくったわけだが……」

「てへっ！」

「「「「ケッ!!」」」」

「そして、私もアシル様の子供が……」

「「「ケッ!!」」」

「カオルが果たせなかった『幸せな結婚生活』という夢を、俺達が代わりに果たす……」

「エミール兄ちゃん、そんな台詞を聞いたら、カオルお姉ちゃんが多分こう叫ぶよ……」

「「「「「う、うるさいわっっ!!」」」」」

書き下ろし　マリアルと、『シルバー種、３つの誓い』

「なっ……」

そ、そんな……。
カ、カオル様が、お亡《な》くなりになられた、ですって……。
いいえ、そんなはずはありません！　女神様がお亡くなりになるなどということが、あるはずがありません‼

おそらくは、人間達のあまりの愚かさに呆《あき》れ果て、御自分の世界にお戻りになられたのでしょう。

……しかし、その原因となった者たちは、言語道断《ごんごどうだん》！

私がカオル様とこの世界で再びお会いする可能性を潰したクズ共めが……。

許さん。……決して、許さん‼

愚か者共には、死を！

地獄より辛い苦しみを。果てのない後悔に塗《まみ》れた日々を。

……ふふ。

ふふふふふ。

ふふふふふふふふふ……。

「ブランコット王国へ向かいます。直ちに準備を！」

「「「「「ええええええええええ〜っっ!!」」」」」


必死に引き留める陛下や貴族連中を振り切って、カルロスに乗ってブランコット王国の王都、アラスへと向かいました。

まだルエダの残党が残っているかもしれないから、女神の御使《みつか》いが行くのは危険？

そいつらを潰すために行くというのに、何を寝言言ってるかな……。

それに、大恩あるエド様が、状況が分からずにお困りになっているかもしれません。そんな時に、王族や上級貴族如《ごと》きが何を言おうが、相手をするつもりなど全くありません。

全ては、受けた恩を少しでも返すために。そして、この怒りを叩《たた》き付けるための獲物を求めて。

馬車などでノロノロ行っていては、間に合いません。カルロスに騎乗して、数名の家臣と僅かな護衛を引き連れての、急ぎ旅。

……若い貴族の女性がそんな少人数で旅をして、危険はないか？

随伴する数十頭の大型犬と、上空を舞う猛禽類。そんなのに囲まれた異様な集団を襲うような、肝の据わった盗賊なんか、いやしません。それに、女神の使いである鳥や犬達に護られた貴族の少女、『鳥貴族』の名は、結構広まっているらしいですから、近隣諸国の盗賊達も、噂《うわさ》くらいは聞いているでしょう。……そして、その敵対者がどういう運命を辿《たど》ったかということも……。

「急ぎますよ、カルロス！」

『はい、お嬢様《ぶひひ〜〜ん》！』

＊　　＊

「……遅かったですわ……」

ブランコット王国の王都アラスに着いた時には、全てが終わっていました。

犯人やその仲間達の処刑も、残党狩りも、全て……。

これでは、私の怒りのやり場が……。

『お嬢様《ひひん》、エド様の許へ《ぶひひ〜ん》……』

はっ、そうですわ！　今は、状況が分からずお困りであろう、エド様のところへ行くのが最優先事項ですわ！

「バルモア王国の王都へ向かいます！」

「「「「はっ!!」」」」

＊　＊

『……そうか、嬢ちゃん、帰っちまったか……』

「あまり驚かれないのですね……」

『まぁ、女神サマだからな……』

あまり驚かれた様子はないものの、悲しそうな御様子のエド様。奥様と娘さんも、悲しそうな御様子。

『嬢ちゃんも、急に帰ることになったのは予定外だったんだろ。しゃーないわな……。

ま、将来に備えて、準備だけはしといてやるかな……。

じゃ、カルロス爺《じい》さん、達者でな！

あ、嬢ちゃん、何年か経《た》ったら、もう一度だけ来てくんないか？　ちょっと、通訳と圧力掛けてもらいたいことができると思うんだよ』

「はい、それは勿論《もちろん》！　大恩あるエド様のお頼みとあらば、どんなことがあっても飛んで参りますとも！」

『すまんな、よろしく頼むよ……』

＊　＊

そして数年後。

エド様の願い通り、再びバルモア王国の王都へと赴いた私は、当時エド様が滞在なさっていた牧場……奥様の出身牧場とのこと……において、エド様と牧場主との間に立ち、いくつかの約束事を取り纏《まと》めました。

その中でも、特にエド様が重要視され、後に『シルバー種、3つの誓い』と呼ばれ、伝説とも、お伽噺《とぎばなし》の世界か、とも言われた項目……。


ひとつ、エド様の子孫は、その全てを『シルバー種』と呼称する。

ひとつ、シルバー種は、その主《あるじ》を自分で決める権利を有する。普段は普通に売買しても構わないが、『どうしてもこの主は嫌だ』という意思表示をした場合は、いくら高額を提示されても販売することを禁ずる。また、『どうしてもこの主にお仕えしたい』という意思表示をした場合には、その意思を絶対のものとし、その時の相場価格にて譲り渡すものとする。

ひとつ、この約定を違《たが》えし時は、全てのシルバー種に関する保有権を失い、シルバー種は牧場側と敵対。その身柄はレイフェル子爵家が引き取るものとする。

牧場主は眼を剝いていたけれど、エド様の決意は固く、『じゃあ、今すぐここを出ていく。無理に留め置いても、繁殖行為もしなければ、指示に従うこともない。子孫達にも、人間の言うことには一切従うな、と命令するぞ』と言われ、牧場主が折れることとなりました。

まぁ、余程のことがない限り、そう簡単にその権利を行使することはない、とエド様が言われたからかもしれませんが……。

とにかく、こうして『シルバー種、3つの誓い』が条約として正式に締結されました。牧場主、エド様、そして我がレイフェル子爵家の名の許に……。

その条約については、一般の方々にも告知されました。権力者が気に入ったシルバー種の馬を無理矢理我が物としようとすることを牽制するために。

そして、実際にその条約が発動されることは一度もなく、それはただ単に権力者に対する牽制のための作り話だとか、シルバー種の価値を高めるための宣伝だとか言われるようになりました。

……しかし、あの条約が締結された時の、エド様の嬉しそうな笑顔。

あれは、何かを成し遂げた者の、喜びの顔でした。

エド様は、きっと確信されていたに違いありません。

いつか必ず、この条約が役立つ時が来る、と。

そしてシルバー種、エド様の子孫がこんな条約を必要とする時は、『その時』しか考えられません。


そう、再びシルバー種に栄光の日々が訪れる時。

エド様の子孫が、再び『神馬《しんめ》』として活躍する日が訪れる時……。

エド様は、信じておられるのでしょう。その日が必ず来ることを。

そしてその時には、あの方が必ず自分の子孫を愛馬に選んでくれるに違いない、と。


エミール殿達も、『その日』に備えて色々と活動されている御様子。

……ならば、私も。

その日のために、種を蒔き、準備を進めると致しましょう。

たとえ私の命がその日まで届かずとも、私の子が、孫が、ひ孫が、玄孫《やしゃご》が、その他の子孫達が。

……きっと、カオル様のお役に立てるに違いない。そう信じて……。

いや、その前に、私が直接お会いできるかもしれない。

この世界ではなく、セレスティーヌ様やカオル様が住んでおられる、天界で……。

あとがき

お久し振りです、FUNA《ふな》です。
第1巻刊行から、3年。
そして『ポーション頼みで生き延びます！』、遂に第6巻が刊行です！
これも皆、読者の皆様のおかげです。ありがとうございます。
そして、引き続き、よろしくお願い致します！

調子に乗って殴り込みをかけ、あっさり返り討ちになったカオル。
やはり、カオルのことを一番理解してくれているのは、あのふたりだけだったか……。
旧友との再会、そして仲間達との別れと旅立ち。
ブレーキ役の常識人、恭子を欠いた『香《K》・恭子《K》・礼子《R》』、暴走は必至？
次巻では、カオル達の事業所、『リトルシルバー』、活動開始！
そして、敵か味方か、何やら怪しげな少女が……。

カオル「地道なチート活動を続けるよ！」

レイコ「一行の台詞なのに、矛盾を内包してるわよっ!!」
またまた孤児を抱え込んで、カオルとレイコ、どこへ行く……。

新型コロナで大変な時だけど。

でも、だからこそ。身体は家でじっとしていても。

心は物語の世界を駆け巡ろう！


担当編集様、イラストレーターのすきま様、装丁デザイナー様、校正校閲様、その他組版、印刷製本、流通、書店等の皆様、小説投稿サイト『小説家になろう』の運営さん、感想欄で誤字の指摘やアドバイス、ネタのアイディアをくださった皆様、そしてこの本を手に取って下さいました皆様に、心から感謝致します。

ありがとうございます！

そして、次巻でまた、お会いできますよう……。

FUNA

Kラノベブックス

ポーション頼《だの》みで生《い》き延《の》びます！6

FU《ふ》NA《な》

2020年5月29日第1刷発行
2023年9月25日第3刷発行

発行者　森田浩章
発行所　株式会社 講談社
〒112-8001　東京都文京区音羽2-12-21
電　話　出版　(03)5395-3715
販売　(03)5395-3605
業務　(03)5395-3603
デザイン　ムシカゴグラフィクス
本文データ制作　講談社デジタル製作
印刷所　株式会社KPSプロダクツ
製本所　株式会社フォーネット社

KODANSHA

ISBN978-4-06-519782-0　N.D.C.913　275p　19cm
定価はカバーに表示してあります

ファンレター、
作品のご感想を
お待ちしています。

あて先　〒112-8001　東京都文京区音羽2-12-21
(株) 講談社　ライトノベル出版部 気付
「FUNA先生」係
「すきま先生」係

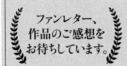